CULTURA
Um conceito antropológico

Coleção
ANTROPOLOGIA SOCIAL
fundada por Gilberto Velho
dirigida por Karina Kuschnir

- O Riso e o Risível
  Verena Alberti

- Falando da Sociedade
- Outsiders
- Segredos e truques da pesquisa
- Truques da Escrita
  Howard S. Becker

- Antropologia Cultural
  Franz Boas

- O Espírito Militar
- Os Militares e a República
  Celso Castro

- Bruxaria, Oráculos e Magia
  entre os Azande
  E.E. Evans-Pritchard

- Nova Luz sobre a Antropologia
  Clifford Geertz

- O Cotidiano da Política
  Karina Kuschnir

- Cultura: um Conceito
  Antropológico
  Roque de Barros Laraia

- Guerra de Orixá
  Yvonne Maggie

- Evolucionismo Cultural
  L.H. Morgan, E.B. Tylor,
  J.G. Frazer

- A invenção de Copacabana
- De Olho na Rua
  Julia O'Donnell

- A Teoria Vivida
  Mariza Peirano

- Cultura e Razão Prática
- História e Cultura
- Ilhas de História
- Metáforas Históricas e
  Realidades Míticas
  Marshall Sahlins

- Antropologia Urbana
- Um Antropólogo na Cidade
- Desvio e Divergência
- Individualismo e Cultura
- Projeto e Metamorfose
- Rio de Janeiro: Cultura,
  Política e Conflito
- Subjetividade e Sociedade
- A Utopia Urbana
  Gilberto Velho

- Pesquisas Urbanas
  Gilberto Velho e
  Karina Kuschnir

- O Mistério do Samba
- O Mundo Funk Carioca
  Hermano Vianna

- Sociedade de Esquina
  William Foote Whyte

Roque de Barros Laraia

CULTURA
Um conceito antropológico

34ª reimpressão

ZAHAR

Copyright © 1986 by Roque de Barros Laraia

Grafia atualizada segundo o Acordo Ortográfico da Língua Portuguesa de 1990, que entrou em vigor no Brasil em 2009.

Capa
Carol Sá
Sérgio Campante

CIP-Brasil. Catalogação na fonte
Sindicato Nacional dos Editores de Livros, RJ

	Laraia, Roque de Barros, 1932-	
L331	Cultura: um conceito antropológico / Roque de Barros Laraia. — 1ª ed. — Rio de Janeiro: Zahar, 1986.	
		(Antropologia social)
	Anexos	
	Inclui bibliografia	
	ISBN 978-85-7110-438-9	
	1. Cultura. 2. Antropologia. I. Título. II. Série.	
		CDD: 306
09-5628		CDU: 316.7

Todos os direitos desta edição reservados à
EDITORA SCHWARCZ S.A.
Praça Floriano, 19, sala 3001 – Cinelândia
20031-050 – Rio de Janeiro – RJ
Telefone: (21) 3993-7510
www.companhiadasletras.com.br
www.blogdacompanhia.com.br
facebook.com/editorazahar
instagram.com/editorazahar
twitter.com/editorazahar

SUMÁRIO

Apresentação 7

Primeira parte • DA NATUREZA DA CULTURA
OU DA NATUREZA À CULTURA 9

1. O determinismo biológico 17
2. O determinismo geográfico 21
3. Antecedentes históricos do conceito de cultura 25
4. O desenvolvimento do conceito de cultura 30
5. Ideia sobre a origem da cultura 53
6. Teorias modernas sobre cultura 59

Segunda parte • COMO OPERA A CULTURA 65

1. A cultura condiciona a visão de mundo
   do homem 67
2. A cultura interfere no plano biológico 75
3. Os indivíduos participam diferentemente
   de sua cultura 80
4. A cultura tem uma lógica própria 87
5. A cultura é dinâmica 94

Anexo 1 – Uma experiência absurda 102
Anexo 2 – A difusão da cultura 105
Bibliografia 109
Notas 113

Para Lúcia

APRESENTAÇÃO

O presente trabalho pretende introduzir o leitor no conceito antropológico de cultura. Tema central das discussões antropológicas nos últimos 100 anos, o assunto tem se demonstrado inesgotável, razão pela qual aqueles que tiverem o interesse de se aprofundar mais devem recorrer à bibliografia apresentada no final do volume. Destinado principalmente a um público que se inicia no tema, limitamos o alcance deste trabalho evitando muitos dos desdobramentos teóricos que o mesmo tem suscitado. A nossa intenção foi a de elaborar um texto bem didático e, portanto, bastante claro e simples.

Procuramos, na medida do possível, utilizar exemplos referentes à nossa sociedade e às sociedades tribais que compartilham conosco um mesmo território. Isto não impede, contudo, a utilização de exemplos tomados emprestados de autores que trabalharam em outras partes do mundo. Tal procedimento é coerente, já que o desenvolvimento do conceito de cultura é de extrema utilidade para a compreensão do paradoxo da enorme diversidade cultural da espécie humana.

Para tornar a bibliografia citada mais acessível aos leitores, utilizamos prioritariamente os textos em suas edições brasileiras, limitando-se as citações em línguas estrangeiras apenas para os casos em que não existem traduções.

O livro está dividido em duas partes: a primeira, que se refere ao desenvolvimento do conceito de cultura a partir das manifestações iluministas até os autores modernos; a segunda parte procura demonstrar como a cultura influencia o comportamento social e diversifica enormemente a humanidade, apesar de sua comprovada unidade biológica.

A nossa intenção foi de atender às demandas das disciplinas iniciais dos cursos de graduação em antropologia e demais ciências sociais. Para isto contamos com o apoio e o estímulo dos colegas do Departamento de Antropologia da Universidade de Brasília, aos quais devemos nossos agradecimentos. Mas um reconhecimento especial é devido a Júlio Cezar Melatti, que tanto insistiu para que realizássemos este trabalho.

Primeira parte

•

DA NATUREZA DA CULTURA
OU DA NATUREZA À CULTURA

•

Este volume trata da discussão de um dilema: *a conciliação da unidade biológica e a grande diversidade cultural da espécie humana.*[1] Um dilema que permanece como o tema central de numerosas polêmicas, apesar de Confúcio ter, quatro séculos antes de Cristo, enunciado que "A natureza dos homens é a mesma, são os seus hábitos que os mantêm separados".

Mesmo antes da aceitação do monogenismo, os homens se preocupavam com a diversidade de modos de comportamento existentes entre os diferentes povos.

Até mesmo Heródoto (484-424 a.C.), o grande historiador grego, preocupou-se com o tema quando descreveu o sistema social dos lícios:

> Eles têm um costume singular pelo qual diferem de todas as outras nações do mundo. Tomam o nome da mãe, e não o do pai. Pergunte-se a um lício quem é, e ele responde dando o seu próprio nome e o de sua mãe, e assim por diante, na linha feminina. Além disso, se uma mulher livre desposa um homem escravo, seus filhos são cidadãos integrais; mas se um homem livre desposa uma mulher estrangeira, ou vive com uma concubina,

embora seja ele a primeira pessoa do Estado, os filhos não terão qualquer direito à cidadania.[2]

Ao considerar os costumes dos lícios diferentes de "todas as outras nações do mundo", Heródoto estava tomando como referência a sua própria sociedade patrilineal,[3] agindo de maneira etnocêntrica, embora ele próprio tenha teoricamente renegado essa postura ao afirmar:

> Se oferecêssemos aos homens a escolha de todos os costumes do mundo, aqueles que lhes parecessem melhor, eles examinariam a totalidade e acabariam preferindo os seus próprios costumes, tão convencidos estão de que estes são melhores do que todos os outros.

A surpresa de Heródoto pela diversidade cultural dos lícios não é diferente da de Tácito (55-120), cidadão romano, em relação às tribos germânicas, sobre as quais escreveu com admiração:

> Por tudo isso, o casamento na Alemanha é austero, não há aspecto de sua moral que mereça maior elogio. São quase únicos, entre os bárbaros, por se satisfazerem com uma mulher para cada. As exceções, que são extremamente raras, constituem-se de homens que recebem ofertas de muitas mulheres devido ao seu posto. Não há questão de paixão sexual. O dote é dado pelo marido à mulher, e não por esta àquele.[4]

Marco Polo, o legendário viajante italiano que visitou a China e outras partes da Ásia, entre os anos 1271 e 1296, assim descreveu os costumes dos tártaros:

12 Cultura: um conceito antropológico

Têm casas circulares, de madeira e cobertas de feltro, que levam consigo onde vão, em carroças de quatro rodas... asseguro-lhes que as mulheres compram, vendem e fazem tudo o que é necessário para seus maridos e suas casas. Os homens não se têm de preocupar com coisa alguma, exceto a caça, a guerra e a falcoaria... Não têm objeções a que se coma a carne de cavalos e cães, e se tome o leite de égua... Coisa alguma no mundo os faria tocar na mulher do outro: têm extrema consciência de que isto é um erro e uma desgraça...[5]

O padre José de Anchieta (1534-1597), ao contrário de Heródoto, se surpreendeu com os costumes patrilineares dos índios Tupinambá e escreveu aos seus superiores:

O terem respeito às filhas dos irmãos é porque lhes chamam filhas e nessa conta as têm, e assim *neque fornicarie* as conhecem, porque têm para si que o parentesco verdadeiro vem pela parte dos pais, que são agentes; e que as mães não são mais que uns sacos, em respeito dos pais, em que se criam as crianças, e por esta causa os filhos dos pais, posto que sejam havidos de escravas e contrárias cativas, são sempre livres e tão estimados como os outros; e os filhos das fêmeas, se são filhos de cativos, os têm por escravos e os vendem, e às vezes matam e comem, ainda que sejam seus netos, filhos de suas filhas, e por isto também usam das filhas das irmãs sem nenhum pejo *ad copulam*, mas não que haja obrigação e nem o costume universal de as terem por mulheres verdadeiras mais que as outras, como dito é.[6]

Montaigne (1533-1572) procurou não se espantar em demasia com os costumes dos Tupinambá, de quem teve notícias e chegou mesmo a ter contato com três deles em Ruão, afirmando não ver nada de bárbaro ou selvagem no que diziam a respeito deles, porque

> na verdade, cada qual considera bárbaro o que não se pratica em sua terra.

Imbuído de um pioneiro sentido de relativismo cultural, Montaigne assim comentou a antropofagia dos Tupinambá:

> Não me parece excessivo julgar bárbaros tais atos de crueldade, mas que o fato de condenar tais defeitos não nos leve à cegueira acerca dos nossos. Estimo que é mais bárbaro comer um homem vivo do que o comer depois de morto; e é pior esquartejar um homem entre suplícios e tormentos e o queimar aos poucos, ou entregá-lo a cães e porcos, a pretexto de devoção e fé, como não somente o lemos mas vimos ocorrer entre vizinhos nossos conterrâneos.[7]

E terminou, ironicamente, após descrever diversos costumes daqueles índios Tupi: "Tudo isso é interessante, mas, que diabo, essa gente não usa calças."

Desde a Antiguidade, foram comuns as tentativas de explicar as diferenças de comportamento entre os homens, a partir das variações dos ambientes físicos.

Marcus V. Pollio, arquiteto romano, afirmou enfaticamente:

14 Cultura: um conceito antropológico

Os povos do sul têm uma inteligência aguda, devido à raridade da atmosfera e ao calor; enquanto os das nações do Norte, tendo se desenvolvido numa atmosfera densa e esfriados pelos vapores dos ares carregados, têm uma inteligência preguiçosa.[8]

Ibn Khaldun, filósofo árabe do século XIV, tinha uma opinião semelhante, pois também acreditava que os habitantes dos climas quentes tinham uma natureza passional, enquanto aos dos climas frios faltava a vivacidade.

Jean Bodin, filósofo francês do século XVI, desenvolveu a teoria que os povos do norte têm como líquido dominante da vida o fleuma, enquanto os do sul são dominados pela bílis negra. Em decorrência disto, os nórdicos são fiéis, leais aos governantes, cruéis e pouco interessados sexualmente; enquanto os do sul são maliciosos, engenhosos, abertos, orientados para as ciências, mas mal-adaptados para as atividades políticas.[9]

Contudo, explicações deste gênero não foram suficientes para resolver o dilema proposto, tanto é que D'Holbach replicava em 1774:

Será que o sol que brilhou para os livres gregos e romanos emite hoje raios diferentes sobre os seus degenerados descendentes?[10]

Qualquer um dos leitores que quiser constatar, uma vez mais, a existência dessas diferenças não necessita retornar ao passado, nem mesmo empreender uma difícil viagem a um grupo indígena, localizado nos confins da floresta amazônica ou em uma distante ilha do Pacífico. Basta comparar os costumes de nossos contemporâneos que vivem no chamado mundo civilizado.

Esta comparação pode começar pelo sentido do trânsito na Inglaterra, que segue a mão esquerda; pelos hábitos culinários franceses, onde rãs e *escargots* (capazes de causar repulsa a muitos povos) são considerados iguarias, até outros usos e costumes que chamam mais a atenção para as diferenças culturais.

No Japão, por exemplo, era costume que o devedor insolvente praticasse o suicídio na véspera do Ano-Novo, como uma maneira de limpar o seu nome e o de sua família. O *harakiri* (suicídio ritual) sempre foi considerado como uma forma de heroísmo. Tal costume justificou o aparecimento dos "pilotos suicidas" durante a Segunda Guerra Mundial.

Entre os ciganos da Califórnia, a obesidade é considerada um indicador da virilidade, mas também é utilizada para conseguir benefícios junto aos programas governamentais de bem-estar social, que a consideram uma deficiência física.

A carne da vaca é proibida aos hindus, da mesma forma que a de porco é interditada aos muçulmanos.

O nudismo é uma prática tolerada em certas praias europeias, enquanto nos países islâmicos, de orientação xiita, as mulheres mal podem mostrar o rosto em público. Nesses mesmos países, o adultério é uma contravenção grave que pode ser punida com a morte ou longos anos de prisão.

Não é necessário ir tão longe, nesta sequência de exemplos que poderia se estender infinitamente; basta verificar que em algumas regiões do Norte do Brasil a gravidez é considerada como uma enfermidade, e o ato de parir é denominado "descansar". Esta mesma palavra é utilizada, no

Sul do país, para se referir à morte (fulano descansou, isto é, morreu). Ainda entre nós, existe uma diversidade de interdições alimentares que consideram perigoso o consumo conjunto de certos alimentos que isoladamente são inofensivos, como a manga com o leite etc.

Enfim, todos estes exemplos e os que se seguem servem para mostrar que as diferenças de comportamento entre os homens não podem ser explicadas através das diversidades somatológicas ou mesológicas. Tanto o determinismo geográfico como o determinismo biológico, como mostraremos a seguir, foram incapazes de resolver o dilema proposto no início deste trabalho.

1. O DETERMINISMO BIOLÓGICO

São velhas e persistentes as teorias que atribuem capacidades específicas inatas a "raças" ou a outros grupos humanos. Muita gente ainda acredita que os nórdicos são mais inteligentes do que os negros; que os alemães têm mais habilidade para a mecânica; que os judeus são avarentos e negociantes; que os norte-americanos são empreendedores e interesseiros; que os portugueses são muito trabalhadores e pouco inteligentes; que os japoneses são trabalhadores, traiçoeiros e cruéis; que os ciganos são nômades por instinto; e, finalmente, que os brasileiros herdaram a preguiça dos negros, a imprevidência dos índios e a luxúria dos portugueses.

Os antropólogos estão totalmente convencidos de que as diferenças genéticas não são determinantes das diferenças culturais. Segundo Felix Keesing, "não existe correlação significativa entre a distribuição dos caracteres genéticos e a distribuição dos comportamentos culturais. Qualquer criança humana normal pode ser educada em qualquer cultura, se for colocada desde o início em situação conveniente de aprendizado". Em outras palavras, se transportarmos para o Brasil, logo após o seu nascimento, uma criança sueca e a colocarmos sob os cuidados de uma família sertaneja, ela crescerá como tal e não se diferenciará mentalmente em nada de seus irmãos de criação. Ou ainda, se re-

18 Cultura: um conceito antropológico

tirarmos uma criança xinguana de seu meio e a educarmos como filha de uma família de alta classe média de Ipanema, o mesmo acontecerá: ela terá as mesmas oportunidades de desenvolvimento que os seus novos irmãos.

Em 1950, quando o mundo se refazia da catástrofe e do terror do racismo nazista, antropólogos físicos e culturais, geneticistas, biólogos e outros especialistas, reunidos em Paris sob os auspícios da Unesco, redigiram uma declaração da qual extraímos dois parágrafos:

...

10. Os dados científicos de que dispomos atualmente não confirmam a teoria segundo a qual as diferenças genéticas hereditárias constituiriam um fator de importância primordial entre as causas das diferenças que se manifestam entre as culturas e as obras das civilizações dos diversos povos ou grupos étnicos. Eles nos informam, pelo contrário, que essas diferenças se explicam, antes de tudo, pela história cultural de cada grupo. Os fatores que tiveram um papel preponderante na evolução do homem são a sua faculdade de aprender e a sua plasticidade. Esta dupla aptidão é o apanágio de todos os seres humanos. Ela constitui, de fato, uma das características específicas do *Homo sapiens*.

15.
b) No estado atual de nossos conhecimentos, não foi ainda provada a validade da tese segundo a qual os grupos humanos diferem uns dos outros pelos traços psicologicamente inatos, quer se trate de inteligência ou temperamento. As pesquisas científicas revelam que

o nível das aptidões mentais é quase o mesmo em todos os grupos étnicos.

...

A espécie humana se diferencia anatômica e fisiologicamente através do dimorfismo sexual, mas é falso que as diferenças de comportamento existentes entre pessoas de sexos diferentes sejam determinadas biologicamente. A antropologia tem demonstrado que muitas atividades atribuídas às mulheres em uma cultura podem ser atribuídas aos homens em outra.

A verificação de qualquer sistema de divisão sexual do trabalho mostra que ele é determinado culturalmente e não em função de uma racionalidade biológica. O transporte de água para a aldeia é uma atividade feminina no Xingu (como nas favelas cariocas). Carregar cerca de vinte litros de água sobre a cabeça implica, na verdade, um esforço físico considerável, muito maior do que o necessário para o manejo de um arco, arma de uso exclusivo dos homens. Até muito pouco tempo, a carreira diplomática, o quadro de funcionários do Banco do Brasil, entre outros exemplos, eram atividades exclusivamente masculinas. O exército de Israel demonstrou que a sua eficiência bélica continua intacta, mesmo depois da maciça admissão de mulheres soldados.

Mesmo as diferenças determinadas pelo aparelho reprodutor humano determinam diferentes manifestações culturais. Margareth Mead (1971) mostra que até a amamentação pode ser transferida a um marido moderno por meio da mamadeira. E os nossos índios Tupi mostram que o marido pode ser o protagonista mais importante do parto. É ele que se recolhe à rede, e não a mulher, e faz o resguardo considerado importante para a sua saúde e a do recém-nascido.

Resumindo, o comportamento dos indivíduos depende de um aprendizado, de um processo que chamamos de endoculturação. Um menino e uma menina agem diferentemente não em função de seus hormônios, mas em decorrência de uma educação diferenciada.

2. O DETERMINISMO GEOGRÁFICO

O determinismo geográfico considera que as diferenças do ambiente físico condicionam a diversidade cultural. São explicações existentes desde a Antiguidade, do tipo das formuladas por Pollio, Ibn Khaldun, Bodin e outros, como vimos anteriormente.

Estas teorias, que foram desenvolvidas principalmente por geógrafos no final do século XIX e no início do século XX, ganharam uma grande popularidade. Exemplo significativo desse tipo de pensamento pode ser encontrado em Huntington, em seu livro *Civilization and Climate* (1915), no qual formula uma relação entre a latitude e os centros de civilização, considerando o clima como um fator importante na dinâmica do progresso.

A partir de 1920, antropólogos como Boas, Wissler, Kroeber, entre outros, refutaram este tipo de determinismo e demonstraram que existe uma limitação na influência geográfica sobre os fatores culturais. E mais: que é possível e comum existir uma grande diversidade cultural localizada em um mesmo tipo de ambiente físico.

Tomemos, como primeiro exemplo, os lapões e os esquimós. Ambos habitam a calota polar norte, os primeiros no norte da Europa e os segundos no norte da América. Vivem, pois, em ambientes geográficos muito semelhantes, caracterizados por um longo e rigoroso inverno. Ambos têm ao seu

Cultura: um conceito antropológico

dispor flora e fauna semelhantes. Era de se esperar, portanto, que encontrassem as mesmas respostas culturais para a sobrevivência em um ambiente hostil. Mas isto não ocorre:

> Os esquimós constroem suas casas (iglus) cortando blocos de neve e amontoando-os num formato de colmeia. Por dentro a casa é forrada com peles de animais e com o auxílio do fogo conseguem manter o seu interior suficientemente quente. É possível, então, desvencilhar-se das pesadas roupas, enquanto no exterior da casa a temperatura situa-se a muitos graus abaixo de zero grau centígrado. Quando deseja, o esquimó abandona a casa tendo que carregar apenas os seus pertences e vai construir um novo retiro.
>
> Os lapões, por sua vez, vivem em tendas de peles de rena. Quando desejam mudar os seus acampamentos, necessitam realizar um árduo trabalho que se inicia pelo desmonte, pela retirada do gelo que se acumulou sobre as peles, pela secagem das mesmas e o seu transporte para o novo sítio.
>
> Em compensação, os lapões são excelentes criadores de renas, enquanto tradicionalmente os esquimós limitam-se à caça desses mamíferos.[1]

A aparente pobreza glacial não impede que os esquimós tenham uma desenvolvida arte de esculturas em pedra-sabão e nem que resolvam os seus conflitos com uma sofisticada competição de canções entre os competidores.

Um segundo exemplo, transcrito de Felix Keesing, é a variação cultural observada entre os índios do sudoeste norte-americano:

Os índios Pueblo e Navajo, do sudoeste americano, ocupam essencialmente o mesmo habitat, sendo que alguns índios Pueblo até vivem hoje em "bolsões" dentro da reserva Navajo. Os grupos Pueblo são aldeões, com uma economia agrícola baseada principalmente no milho. Os Navajo são descendentes de apanhadores de víveres, que se alimentavam de castanhas selvagens, sementes de capins e de caça, mais ou menos como os Apache e outros grupos vizinhos têm feito até os tempos modernos. Mas, obtendo ovinos dos europeus, os Navajo são hoje mais pastoreadores, vivendo espalhados com seus rebanhos em grupos de famílias. O espírito criador do homem pode assim envolver três alternativas culturais bem diferentes — apanha de víveres, cultivo, pastoreio — no mesmo ambiente natural, de sorte que não foram fatores de habitat que proporcionaram a determinante principal. Posteriormente, no mesmo habitat, colonizadores americanos tiveram que criar outros sistemas de vida baseados na pecuária, na agricultura irrigada e na urbanização.[2]

O terceiro exemplo pode ser encontrado no interior de nosso país, dentro dos limites do Parque Nacional do Xingu. Os xinguanos propriamente ditos (Kamayurá, Kalapalo, Trumai, Waurá etc.) desprezam toda a reserva de proteínas existentes nos grandes mamíferos, cuja caça lhes é interditada por motivos culturais, e se dedicam mais intensamente à pesca e à caça de aves. Os Kayabi, que habitam o Norte do Parque, são excelentes caçadores e preferem justamente os mamíferos de grande porte, como a anta, o veado, o caititu etc.

24 Cultura: um conceito antropológico

Estes três exemplos mostram que não é possível admitir a ideia do determinismo geográfico, ou seja, a admissão da "ação mecânica das forças naturais sobre uma humanidade puramente receptiva". A posição da moderna antropologia é que a "cultura age seletivamente", e não casualmente, sobre seu meio ambiente, "explorando determinadas possibilidades e limites ao desenvolvimento, para o qual as forças decisivas estão na própria cultura e na história da cultura".[3]

As diferenças existentes entre os homens, portanto, não podem ser explicadas em termos das limitações que lhes são impostas pelo seu aparato biológico ou pelo seu meio ambiente. A grande qualidade da espécie humana foi a de romper com suas próprias limitações: um animal frágil, provido de insignificante força física, dominou toda a natureza e se transformou no mais temível dos predadores. Sem asas, dominou os ares; sem guelras ou membranas próprias, conquistou os mares. Tudo isto porque difere dos outros animais por ser o único que possui cultura. Mas que é cultura?

3. ANTECEDENTES HISTÓRICOS DO CONCEITO DE CULTURA

No final do século XVIII e no princípio do seguinte, o termo germânico *Kultur* era utilizado para simbolizar todos os aspectos espirituais de uma comunidade, enquanto a palavra francesa *Civilisation* referia-se principalmente às realizações materiais de um povo. Ambos os termos foram sintetizados por Edward Tylor (1832-1917) no vocábulo inglês *Culture*, que "tomado em seu amplo sentido etnográfico é este todo complexo que inclui conhecimentos, crenças, arte, moral, leis, costumes ou qualquer outra capacidade ou hábitos adquiridos pelo homem como membro de uma sociedade".[1] Com esta definição Tylor abrangia em uma só palavra todas as possibilidades de realização humana, além de marcar fortemente o caráter de aprendizado da cultura em oposição à ideia de aquisição inata, transmitida por mecanismos biológicos.

O conceito de cultura, pelo menos como utilizado atualmente, foi portanto definido pela primeira vez por Tylor. Mas o que ele fez foi formalizar uma ideia que vinha crescendo na mente humana. A ideia de cultura, com efeito, estava ganhando consistência talvez mesmo antes de John Locke (1632-1704), que, em 1690, ao escrever *Ensaio acerca do entendimento humano*, procurou demonstrar que a mente humana não é mais do que uma caixa vazia por ocasião do

26 Cultura: um conceito antropológico

nascimento, dotada apenas da capacidade ilimitada de obter conhecimento, através de um processo que hoje chamamos de endoculturação. Locke refutou fortemente as ideias correntes na época (e que ainda se manifestam até hoje) de princípios ou verdades inatas impressos hereditariamente na mente humana, ao mesmo tempo em que ensaiou os primeiros passos do relativismo cultural ao afirmar que os homens têm princípios práticos opostos: "Quem investigar cuidadosamente a história da humanidade, examinar por toda a parte as várias tribos de homens e com indiferença observar as suas ações, será capaz de convencer-se de que raramente há princípios de moralidade para serem designados, ou regra de virtude para ser considerada... que não seja, em alguma parte ou outra, menosprezado e condenado pela moda geral de todas as sociedades de homens, governadas por opiniões práticas e regras de condutas bem contrárias umas às outras." (Livro I, cap.II, §10.)

Finalmente, com referência a John Locke, gostaríamos de citar o antropólogo americano Marvin Harris (1969), que expressa bem as implicações da obra de Locke para a época: "Nenhuma ordem social é baseada em verdades inatas, uma mudança no ambiente resulta numa mudança no comportamento."[2]

Meio século depois, Jacques Turgot (1727-1781), ao escrever o seu *Plano para dois discursos sobre história universal*, afirmou:

> Possuidor de um tesouro de signos que tem a faculdade de multiplicar infinitamente, o homem é capaz de assegurar a retenção de suas ideias *eruditas*, comunicá-las para outros homens e transmiti-las para os seus

Da natureza da cultura **27**

descendentes como uma herança sempre crescente. (O grifo é nosso.)

Basta apenas a retirada da palavra *erudita* para que esta afirmação de Turgot possa ser considerada uma definição aceitável do conceito de cultura (embora em nenhum momento faça menção a este vocábulo). Esta definição é equivalente às que foram formuladas, mais de um século depois, por Bronislaw Malinowski e Leslie White, como o leitor constatará no decorrer deste trabalho.

Jean-Jacques Rousseau (1712-1778), em seu *Discurso sobre a origem e o estabelecimento da desigualdade entre os homens*, em 1775, seguiu os passos de Locke e de Turgot ao atribuir um grande papel à educação, chegando mesmo ao exagero de acreditar que esse processo teria a possibilidade de completar a transição entre os grandes macacos (chimpanzé, gorila e orangotango) e os homens.[3]

Mais de um século transcorrido desde a definição de Tylor, era de se esperar que existisse hoje um razoável acordo entre os antropólogos a respeito do conceito. Tal expectativa seria coerente com o otimismo de Kroeber, que, em 1950, escreveu que "a maior realização da Antropologia na primeira metade do século xx foi a ampliação e a clarificação do conceito de cultura" ("Anthropology", in *Scientific American*, 183). Mas, na verdade, as centenas de definições formuladas após Tylor serviram mais para estabelecer uma confusão do que ampliar os limites do conceito. Tanto é que, em 1973, Geertz escreveu que o tema mais importante da moderna teoria antropológica era o de "diminuir a amplitude do conceito e transformá-lo num instrumento mais especializado e mais poderoso teoricamente". Em

28 Cultura: um conceito antropológico

outras palavras, o universo conceitual tinha atingido tal dimensão que somente com uma contração poderia ser novamente colocado dentro de uma perspectiva antropológica.

Em 1871, Tylor definiu cultura como sendo todo o comportamento aprendido, tudo aquilo que independe de uma transmissão genética, como diríamos hoje. Em 1917, Kroeber acabou de romper todos os laços entre o cultural e o biológico, postulando a supremacia do primeiro em detrimento do segundo em seu artigo, hoje clássico, "O superorgânico" (in *American Anthropologist*, vol.xix, n. 2, 1917).[4] Completava-se, então, um processo iniciado por Lineu, que consistiu inicialmente em derrubar o homem de seu pedestal sobrenatural e colocá-lo dentro da ordem da natureza. O segundo passo deste processo, iniciado por Tylor e completado por Kroeber, representou o afastamento crescente desses dois domínios, o cultural e o natural.

O "anjo caído" foi diferenciado dos demais animais por ter a seu dispor duas notáveis propriedades: a possibilidade da comunicação oral e a capacidade de fabricação de instrumentos, capazes de tornar mais eficiente o seu aparato biológico. Mas estas duas propriedades permitem uma afirmação mais ampla: o homem é o único ser possuidor de cultura. Em suma, a nossa espécie teria conseguido, no decorrer de sua evolução, estabelecer uma distinção de gênero e não apenas de grau em relação aos demais seres vivos. Os fundadores de nossa ciência, através dessa explicação, tinham repetido a temática quase universal dos mitos de origem, pois a maioria destes preocupa-se muito mais em explicar a separação da cultura da natureza do que com as especulações de ordem cosmogônica.

No período que decorreu entre Tylor e a afirmação de Kroeber, em 1950, o monumento teórico que se destacava pela sua excessiva simplicidade, construído a partir de uma visão da natureza humana, elaborada no período iluminista, foi destruído pelas tentativas posteriores de clarificação do conceito.

A reconstrução deste momento conceitual, a partir de uma diversidade de fragmentos teóricos, é uma das tarefas primordiais da antropologia moderna. Neste trabalho, entretanto, seguiremos apenas os procedimentos básicos desta elaboração.

4. O DESENVOLVIMENTO
DO CONCEITO DE CULTURA

A primeira definição de cultura que foi formulada do ponto de vista antropológico, como vimos, pertence a Edward Tylor, no primeiro parágrafo de seu livro *Primitive Culture* (1871). Tylor procurou, além disto, demonstrar que cultura pode ser objeto de um estudo sistemático, pois trata-se de um fenômeno natural que possui causas e regularidades, permitindo um estudo objetivo e uma análise capazes de proporcionar a formulação de leis sobre o processo cultural e a evolução.[1]

O seu pensamento pode ser mais bem compreendido a partir da leitura deste seu trecho:

> Por um lado, a uniformidade que tão largamente permeia entre as civilizações pode ser atribuída, em grande parte, a uma uniformidade de ação de causas uniformes, enquanto, por outro lado, seus vários graus podem ser considerados como estágios de desenvolvimento ou evolução...[2]

Buscando apoio nas ciências naturais, pois considera cultura um fenômeno natural, Tylor escreve em seguida:

> Nossos investigadores modernos nas ciências de natureza inorgânica tendem a reconhecer, dentro e fora

de seu campo especial de trabalho, a unidade da natureza, a permanência de suas leis, a definida sequência de causa e efeito através da qual depende cada fato. Apoiam firmemente a doutrina pitagoriana da ordem no cosmo universal. Afirmam, como Aristóteles, que a natureza não é constituída de episódios incoerentes, como uma má tragédia. Concordam com Leibniz no que ele chamou "meu axioma, que a natureza nunca age por saltos", tanto como em seu "grande princípio, comumente pouco utilizado, de que nada acontece sem suficiente razão". Nem mesmo no estudo das estruturas e hábitos das plantas e animais, ou na investigação das funções básicas do homem, são ideias desconhecidas. Mas quando falamos dos altos processos do sentimento e da ação humana, do pensamento e linguagem, conhecimento e arte, uma mudança aparece nos tons predominantes de opinião. O mundo como um todo está fracamente preparado para aceitar o estudo geral da vida humana como um ramo da ciência natural. ... Para muitas mentes educadas parece alguma coisa presunçosa e repulsiva o ponto de vista de que a história da humanidade é parte e parcela da história da natureza, que nossos pensamentos, desejos e ações estão de acordo com leis equivalentes àquelas que governam os ventos e as ondas, a combinação dos ácidos e das bases e o crescimento das plantas e animais.[3]

Neste sentido, ainda na segunda metade do século XIX, Tylor se defrontava com a ideia da natureza sagrada do homem, daí as suas afirmações no final do texto acima e a sua preocupação expressa no seguinte:

32 Cultura: um conceito antropológico

Mas outros obstáculos para a investigação das leis da natureza humana surgem das considerações metafísicas e teológicas. A noção popular do livre-arbítrio humano envolve não somente a liberdade de agir de acordo com motivações, mas também o poder de quebrar a continuidade e de agir sem causa — uma combinação que pode ser grosseiramente ilustrada pela analogia de uma balança, algumas vezes agindo de modo usual, mas também possuindo faculdade de agir por ela própria a favor ou contra os pesos. Este ponto de vista de uma ação anômica dos desejos, que é incompatível com o argumento científico, subexiste como opinião manifesta ou latente na mente humana, e afeta fortemente a sua visão teórica da história. ... Felizmente não é necessário adicionar mais nada à lista de dissertações sobre a intervenção sobrenatural e causação natural, sobre liberdade, predestinação e responsabilidade. Podemos rapidamente escapar das regiões da filosofia transcendental e da teologia, para iniciar uma esperançosa jornada sobre um terreno mais prático. Ninguém negará que, como cada homem conhece pelas evidências de sua própria consciência, causas naturais e definidas determinam as ações humanas.[4]

Após discutir as questões acima, Tylor reafirma a igualdade da natureza humana, "que pode ser estudada com grande precisão na comparação das raças do mesmo grau de civilização".

Mais do que preocupado com a diversidade cultural, Tylor a seu modo preocupa-se com a igualdade existente na humanidade. A diversidade é explicada por ele como o resultado da desigualdade de estágios existentes no processo de evolução. Assim, uma das tarefas da antropologia seria a de "estabelecer, *grosso modo*, uma escala de civilização", simplesmente colocando as nações europeias em um dos extremos da série e em outro as tribos selvagens, dispondo o resto da humanidade entre dois limites. Mercier[5] mostra que Tylor pensava as "instituições humanas tão distintamente estratificadas quanto a terra sobre a qual o homem vive. Elas se sucedem em séries substancialmente uniformes por todo o globo, independentemente de raça e linguagem — diferenças essas que são comparativamente superficiais —, mas moduladas por uma natureza humana semelhante, atuando através das condições sucessivamente mutáveis da vida selvagem, bárbara e civilizada".

Para entender Tylor, é necessário compreender a época em que viveu e consequentemente o seu background intelectual. O seu livro foi produzido nos anos em que a Europa sofria o impacto da *Origem das espécies*, de Charles Darwin, e que a nascente antropologia foi dominada pela estreita perspectiva do evolucionismo unilinear.[6]

A década de 60 do século XIX foi rica em trabalhos desta orientação. Uma série de estudiosos tentou analisar, sob esse prisma, o desenvolvimento das instituições sociais, buscando no passado as explicações para os procedimentos sociais da atualidade. Assim, Maine em *Ancient Law* (1861) procurou analisar o desenvolvimento das instituições jurídicas; o mesmo ocorreu com Bachofen, que em *Das Musterrecht* desenvolveu a ideia da promiscuidade primitiva e consequentemente da instituição do matriarcado.[7] E em *Primitive Marriage* (1865) McLennan estuda a instituição do matrimônio a partir dos casamentos por

34 Cultura: um conceito antropológico

rapto. Por detrás de cada um destes estudos predominava, então, a ideia de que a cultura desenvolve-se de maneira uniforme, de tal forma que era de se esperar que cada sociedade percorresse as etapas que já tinham sido percorridas pelas "sociedades mais avançadas". Desta maneira era fácil estabelecer uma escala evolutiva que não deixava de ser um processo discriminatório, através do qual as diferentes sociedades humanas eram classificadas hierarquicamente, com nítida vantagem para as culturas europeias. Etnocentrismo e ciência marchavam então de mãos juntas.

Stocking (1968) critica Tylor por "deixar de lado toda a questão do relativismo cultural e tornar impossível o moderno conceito da cultura". A posição de Tylor não poderia ser outra, porque a ideia de relativismo cultural está implicitamente associada à de evolução multilinear. A unidade da espécie humana, por mais paradoxal que possa parecer tal afirmação, não pode ser explicada senão em termos de sua diversidade cultural.

Mercier considera Tylor um dos pais do difusionismo cultural. Lowie, em sua *The History of Ethnological Theory* (1937), faz no entanto uma oportuna ressalva: "O que distingue Tylor do difusionismo extremo é simplesmente sua capacidade de avaliar as evidências. Recusando assumir *a priori* que toda semelhança resulta da dispersão, aplica critérios definitivos para a solução da questão." Como Adolf Bastian (1826-1905), Tylor acreditava na "unidade psíquica da humanidade". Tal fato lhe foi útil para não cair nas armadilhas do difusionismo (como veremos posteriormente), mas constituiu em sua falha o fato de "não reconhecer os múltiplos caminhos da cultura".

O seu grande mérito na tentativa de analisar e classificar cultura foi o de ter superado os demais trabalhadores de gabinete, através de uma crítica arguta e exaustiva dos relatos dos viajantes e cronistas coloniais. Em vez da aceitação tácita dessas informações, Tylor sempre questionou a veracidade das mesmas. Ao contrário de John Lubbock (1872), recusou aceitar a afirmação de que diversos grupos tribais, entre eles os aborígines brasileiros, eram desprovidos de religião. Tais afirmações, conclui Tylor, baseiam-se "sobre evidências frequentemente erradas e nunca conclusivas".

A principal reação ao evolucionismo, então denominado método comparativo, inicia-se com Franz Boas (1858-1949), nascido em Westfália (Alemanha) e inicialmente um estudante de física e geografia em Heidelberg e Bonn. Uma expedição geográfica a Baffin Land (1883-1884), que o colocou em contato com os esquimós, mudou o curso de sua vida, transformando-o em antropólogo. Tal fato provocou, também, a sua mudança para os Estados Unidos, onde foi responsável pela formação de toda uma geração de antropólogos. Aposentou-se, em 1936, pela Universidade de Columbia, da cadeira que hoje tem o seu nome.

A sua crítica ao evolucionismo está, principalmente, contida em seu artigo "The Limitation of the Comparative Method of Anthropology",[8] no qual atribuiu à antropologia a execução de duas tarefas:

a) a reconstrução da história de povos ou regiões particulares;
b) a comparação da vida social de diferentes povos, cujo desenvolvimento segue as mesmas leis.

36   Cultura: um conceito antropológico

Além disto, insistiu na necessidade de ser comprovada, antes de tudo, a possibilidade de os dados serem comparados. E propôs, em lugar do método comparativo puro e simples, a comparação dos resultados obtidos através dos estudos históricos das culturas simples e da compreensão dos efeitos das condições psicológicas e dos meios ambientes.

São as investigações históricas — reafirma Boas — o que convém para descobrir a origem deste ou daquele traço cultural e para interpretar a maneira pela qual toma lugar num dado conjunto sociocultural. Em outras palavras, Boas desenvolveu o particularismo histórico (ou a chamada Escola Cultural Americana), segundo o qual cada cultura segue os seus próprios caminhos em função dos diferentes eventos históricos que enfrentou. A partir daí a explicação evolucionista da cultura só tem sentido quando ocorre em termos de uma abordagem multilinear.[9]

Alfred Kroeber (1876-1960), antropólogo americano, em seu artigo "O superorgânico"[10] mostrou como a cultura atua sobre o homem, ao mesmo tempo em que se preocupou com a discussão de uma série de pontos controvertidos, pois suas explicações contrariam um conjunto de crenças populares. Iniciou, como o título de seu trabalho indica, com a demonstração de que graças à cultura a humanidade distanciou-se do mundo animal. Mais do que isto, o homem passou a ser considerado um ser que está acima de suas limitações orgânicas.

Tem sido modo de pensamento característico de nossa civilização ocidental uma formulação de antíteses complementares, um equilíbrio de contrários que se excluem. Um desses pares de ideias com que o nosso mundo vem lidando há cerca de dois mil anos se exprime nas palavras corpo e alma. Outro par que já teve a sua utilidade, mas de que a ciência está agora muitas vezes se esforçando por descartar-se, pelo menos em certos aspectos, é a distinção entre o físico e o mental.

Há uma terceira discriminação, que é entre o vital e o social, ou, em outras palavras, entre o orgânico e o cultural.

O reconhecimento implícito da diferença entre qualidades e processos orgânicos e qualidades e processos sociais vem de longa data. Contudo, a distinção formal é recente. De fato, pode dizer-se que o pleno alcance da importância da antítese está apenas raiando sobre o mundo. Para cada ocasião em que alguma mente humana separa nitidamente as forças orgânicas e sociais, há dezenas de outras vezes em que não se cogita da diferença entre elas, ou em que ocorre uma real confusão de duas ideias.[11]

A preocupação de Kroeber é evitar a confusão, ainda tão comum, entre o orgânico e o cultural. Não se pode ignorar que o homem, membro proeminente da ordem dos primatas, depende muito de seu equipamento biológico. Para se manter vivo, independentemente do sistema cultural ao qual pertença, ele tem que satisfazer um número determinado de funções vitais, como a alimentação, o sono, a respiração, a atividade sexual etc. Mas, embora estas funções sejam comuns a toda humanidade, a maneira de satisfazê-las varia de uma cultura para outra. É esta grande variedade na operação de um número tão pequeno de funções que faz com que o homem seja considerado um ser

38   Cultura: um conceito antropológico

predominantemente cultural. Os seus comportamentos não são biologicamente determinados. A sua herança genética nada tem a ver com as suas ações e pensamentos, pois todos os seus atos dependem inteiramente de um processo de aprendizado. Por isto, continua Kroeber:

> Todos sabem que nascemos com certos poderes e adquirimos outros. Não é preciso argumentar para provar que algumas coisas de nossas vidas e constituição provêm da natureza pela hereditariedade, e que outras coisas nos chegam através de outros agentes com os quais a hereditariedade nada tem que ver. Não apareceu ninguém que afirmasse ter um ser humano nascido com o conhecimento inerente da tábua de multiplicação, nem, por outro lado, que duvidasse de que os filhos de um negro nascem negros pela atuação de forças hereditárias. Contudo, certas qualidades de todo indivíduo são claramente sujeitas a debate e quando se compara o desenvolvimento da civilização como um todo, a distinção dos processos envolvidos apresenta muitas vezes falhas.[12]

O homem, como parte do reino animal, participa do grande processo evolutivo em que muitas espécies sucumbiram e só deixaram alguns poucos vestígios fósseis. As espécies remanescentes obtiveram esta condição porque foram capazes de superar uma furiosa competição e suportar modificações climáticas radicais que perturbaram enormemente as condições mesológicas como um todo.

A espécie humana sobreviveu. E, no entanto, o fez com um equipamento físico muito pobre. Incapaz de correr como um antílope; sem a força de um tigre; sem a acuidade visual de um lince ou as dimensões de um elefante; mas, ao contrário de todos eles, dotada de um instrumental extra-orgânico de adaptação, que ampliou a força de seus braços, a sua velocidade, a sua acuidade visual e auditiva etc. E o mais importante, tais modificações ocorreram sem nenhuma (ou quase nenhuma) modificação anatômica.

Alguns répteis, por exemplo, buscaram o refúgio dos ares para superar as difíceis condições de competição existentes no solo. Para isto, tiveram que se submeter a intensas modificações biológicas, através de numerosas gerações. Perderam escamas e ganharam penas; trocaram um par de membros por um par de asas; um sistema de sangue frio por um de sangue quente; além de outras modificações anatômicas e fisiológicas. Ganhando a locomoção aérea, afinal se transformaram em aves. O homem obteve o mesmo resultado por outro caminho:

> Não faz muitos anos que os seres humanos atingiram também o poder da locomoção aérea. Mas o processo pelo qual esse poder foi alcançado, e os seus efeitos, são completamente diferentes daqueles que caracterizaram a aquisição, pelos primeiros pássaros, da faculdade de voar. Nossos meios de voar são exteriores aos nossos corpos. O pássaro nasce com um par de asas; nós inventamos o aeroplano. O pássaro renunciou a um par potencial de mãos para obter as suas asas; nós, porque a nossa faculdade não é parte de nossa constituição congênita, conservamos todos os órgãos e capacidade de nossos antepassados, acrescentando-lhes a nova capacidade. O processo do desenvolvimento da civilização é claramente acumulativo: conserva-se o

40   Cultura: um conceito antropológico

antigo, apesar da aquisição do novo. Na evolução orgânica, a introdução de novos traços só é geralmente possível mediante a perda ou a modificação de órgãos ou faculdades existentes.[13]

A baleia não é só um mamífero de sangue quente, mas é reconhecida como o descendente remoto de animais terrestres carnívoros. Em alguns milhões de anos ... esse animal perdeu suas pernas para correr, suas garras para segurar e dilacerar, seu pelo original e as orelhas externas que, no mínimo, nenhuma utilidade teriam na água, e adquiriu nadadeiras e cauda, um corpo cilíndrico, uma camada de banha e a faculdade de reter a respiração. Muita coisa perdeu a espécie, mais, talvez, em conjunto do que ganhou. É certo que algumas de suas partes degeneraram. Mas houve um novo poder que ela adquiriu: o de percorrer indefinidamente o oceano.

Encontramos o paralelo e também o contraste na aquisição humana da mesma faculdade. Não transformamos, por alteração gradual de pai a filho, nossos braços em nadadeiras e não adquirimos uma cauda. Nem precisamos absolutamente entrar na água para navegar. Construímos um barco. E isto quer dizer que preservamos intactos nossos corpos e faculdades de nascimento, inalterados com relação aos de nossos pais e dos mais remotos ancestrais. Os nossos meios de navegação marítima são exteriores ao nosso equipamento natural. Nós os fazemos e utilizamos, ao passo que a baleia original teve de transformar-se ela mesma em barco. Foram-lhe precisas incontáveis gerações para chegar à sua condição atual. Todos os indivíduos que não lograram conformar-se ao tipo não deixaram descendente algum, ou nenhum que esteja no sangue das baleias de nossos dias.[14]

Estes dois exemplos de Kroeber mostram que o homem criou o seu próprio processo evolutivo. No decorrer de sua história, sem se submeter a modificações biológicas radicais, ele tem sobrevivido a numerosas espécies, adaptando-se às mais diferentes condições mesológicas.

Kroeber procurou mostrar que, superando o orgânico, o homem de certa forma libertou-se da natureza. Tal fato possibilitou a expansão da espécie por todos os recantos da Terra. Nenhum outro animal tem toda a Terra como o seu habitat,[15] apenas o homem conseguiu esta proeza:

De fato, o que faz o habitante humano de latitudes inclementes não é desenvolver um sistema digestivo peculiar, nem tampouco adquirir pelo. Ele muda o seu ambiente e pode assim conservar inalterado o seu corpo original. Constrói uma casa fechada, que o protege contra o vento e lhe permite conservar o calor do corpo. Faz uma fogueira ou acende uma lâmpada. Esfola uma foca ou um caribu, extraindo-lhe a pele com que a seleção natural, ou outros processos de evolução orgânica, dotou esses animais; sua mulher faz-lhe uma camisa e calças, sapatos e luvas, ou duas peças de cada um; ele os usa, e dentro de alguns anos, ou dias, está provido de proteção que o urso-polar e a lebre ártica, a zibelina e o tetraz levam longos períodos a adquirir. Demais, o seu filho e o filho de seu filho, e seu centésimo descendente nascerão tão nus e fisicamente tão desarmados como ele e o seu centésimo ancestral.[16]

Enquanto o urso-polar não pode mudar de seu ambiente, pois não suportaria um grande aumento de temperatura, um esquimó pode transferir-se de sua região gelada para um país tropical e em pouco tempo estaria adaptado ao mesmo, bastando apenas trocar o seu equipamento cultural pelo desenvolvido no novo habitat. Ao invés de um iglu capaz de conservar as menores parcelas de calor, preferiria, então, ocupar um apartamento refrigerado, ao mesmo tempo em que trocaria suas pesadas vestimentas por roupas muito leves ou quase inexistentes.

Vimos que na evolução animal para cada nova característica adquirida ocorria a perda de uma anterior. Com o homem, uma vez pelo menos este fato tornou-se verdadeiro. Ao adquirir cultura perdeu a propriedade animal, geneticamente determinada, de repetir os atos de seus antepassados, sem a necessidade de copiá-los ou de se submeter a um processo de aprendizado. Um jovem lobo, separado de seus semelhantes no momento do nascimento, saberá uivar quando necessário; saberá distinguir entre muitos odores o cheiro de uma fêmea no cio e distinguir, entre numerosas espécies animais, aquelas que lhe são amistosas ou adversárias. Kroeber nos mostra que com o homem, mais uma vez, o processo é diferente:

> Um cachorrinho recém-nascido é criado com uma ninhada de gatinhos por uma gata. Contrariamente às anedotas familiares e aos tópicos de jornais, o cachorrinho latirá e rosnará, não miará. Ele nem mesmo experimentará miar. A primeira vez que se lhe pisar na pata ele ganirá e não guinchará, tão certo como, quando ficar enfurecido, morderá, como o faria a sua mãe

Da natureza da cultura **43**

desconhecida, e nunca procurará arranhar, tal como viu a mãe adotiva fazer. Um longo retiro pode privá-lo da vista, do som ou do cheiro de outros cães. Mas se acontecer chegar-lhe aos ouvidos um latido ou ganido, ei-lo todo atento — mais do que a qualquer som emitido pelos gatinhos seus companheiros. Que se repita o latido, e então o interesse dará lugar à excitação, e ele latirá também, tão certo como, posto em contato com uma cadela, manifestar-se-ão nele os impulsos sexuais de sua espécie. Não pode haver dúvida de que a linguagem canina constitui, de modo inextirpável, parte da natureza do cachorro, tão plenamente nele contida sem treino ou cultura, quanto fazendo inteiramente parte do organismo canino, como os dentes, pés, estômagos, movimentos ou instintos. Nenhum grau de contato com os gatos, ou privação de associação com a sua própria espécie, fará com que o cão aprenda a linguagem do gato, ou perca a sua, nem tampouco o fará enrolar o rabo em vez de abaná-lo, esfregar os flancos no seu dono em vez de saltar nele, ou adquirir bigodes e levar as orelhas erectas.

Tomemos um bebê francês, nascido na França, de pais franceses, descendentes estes, através de numerosas gerações, de ancestrais que falavam francês. Confiemos esse bebê, imediatamente depois de nascer, a uma pajem muda, com instruções para que não permita que ninguém fale com a criança ou mesmo veja durante a viagem que a levará pelo caminho mais direto ao interior da China. Lá chegando, entrega ela o bebê a um casal de chineses, que o adotam legalmente, e o criam como seu próprio filho. Suponhamos agora

44   Cultura: um conceito antropológico

que se passem três, dez ou trinta anos. Será necessário debater sobre que língua falará o jovem ou adulto francês? Nem uma só palavra de francês, mas o puro chinês, sem um vestígio de sotaque, e com a fluência chinesa, e nada mais.[17]

Este é talvez o ponto em que a noção de cultura mais contraria o pensamento leigo. É comum, entre os diferentes setores de nossa população, a crença nas qualidades (positivas ou negativas) adquiridas graças à transmissão genética.

"Tenho a física no sangue" — dizia uma aluna que pretendia mudar a sua opção de ciências sociais para a de física, invocando o nome de um ancestral.

"Meu filho tem muito jeito para a música, pois herdou esta qualidade do seu avô." É este um outro exemplo comum.

Muito contribuiu para afirmações deste tipo a divulgação da teoria de Cesare Lombroso (1835-1909), criminalista italiano que procurou correlacionar aparência física com tendência para comportamentos criminosos. Por mais absurda que nos possa parecer, a teoria de Lombroso encontrou grande receptividade popular e, até recentemente, era ministrada em alguns cursos de direito como verdade científica. Em nossos dias o mau uso da sociobiologia tem exercido o mesmo papel.

O perigo desses tipos de explicações é que facilmente associam-se a tipos de discriminações raciais e sociais, numa tentativa de justificar as diferenças sociais. Assim, até mesmo o sucesso empresarial passa a ser explicado como uma forma de determinação genética e é ilustrado com a enumeração das diferentes dinastias de industriais ou empresários.[18]

O homem é o resultado do meio cultural em que foi socializado. Ele é um herdeiro de um longo processo acumulativo, que reflete o conhecimento e a experiência adquiridos pelas numerosas gerações que o antecederam. A manipulação adequada e criativa desse patrimônio cultural permite as inovações e as invenções. Estas não são, pois, o produto da ação isolada de um gênio, mas o resultado do esforço de toda uma comunidade. No parágrafo seguinte, Kroeber discute o tema:

> Segundo um dito que é quase proverbial, e verdadeiro na medida em que podem ser verdadeiros tais lugares-comuns, o escolar moderno sabe mais que Aristóteles; mas esse fato, soubesse o escolar mil vezes mais que Aristóteles, nem por isso o dota de uma fração do intelecto do grande grego. Socialmente — é o conhecimento, e não o desenvolvimento maior de um ou outro indivíduo, que vale, do mesmo modo que na mensuração da verdadeira força da grandeza da pessoa, o psicólogo ou o geneticista não leva em consideração o estado do esclarecimento geral, o grau variável do desenvolvimento ligado à civilização, para fazer suas comparações. Cem Aristóteles perdidos entre nossos ancestrais habitantes das cavernas não seriam menos Aristóteles por direito do nascimento; mas teriam contribuído muito menos para o progresso da ciência do que doze esforçadas mediocridades no século vinte. Um super-Arquimedes na idade do gelo não teria inventado nem armas de fogo nem o telégrafo. Se tivesse nascido no Congo ao invés de uma Saxônia, não poderia Bach ter composto nem mesmo um fragmento de coral ou so-

46 Cultura: um conceito antropológico

nata, se bem que possamos confiar igualmente em que ele teria eclipsado os seus compatriotas em alguma espécie de música. Quanto a saber se existiu algum dia um Bach na África, é outra questão — à qual não se pode dar uma resposta negativa meramente porque nenhum Bach jamais por lá apareceu, questão que devemos razoavelmente admitir não ter tido resposta, mas em relação à qual o estudioso da civilização, até que se apresente uma demonstração, não pode dar mais que uma resposta e assumir uma só atitude: supor, não como uma finalidade mas como uma condição de método, que existiram tais indivíduos; que o gênio e a capacidade ocorrem com frequência substancialmente regular, e que todas as raças ou grupos bastante grandes de homens são em média substancialmente iguais e têm as mesmas qualidades.[19]

Em outras palavras, não basta a natureza criar indivíduos altamente inteligentes, isto ela o faz com frequência,[20] mas é necessário que coloque ao alcance desses indivíduos o material que lhes permita exercer a sua criatividade de uma maneira revolucionária. Santos Dumont (1873-1932) não teria sido o inventor do avião se não tivesse abandonado a sua pachorrenta Palmira, no final do século XIX, e se transferido em 1892 para Paris. Ali teve acesso a todo o conhecimento acumulado pela civilização ocidental. Em Palmira, o seu cérebro privilegiado poderia talvez realizar outras invenções, como por exemplo um eixo mais aperfeiçoado para carros de bois, mas jamais teria tido a oportunidade de proporcionar à humanidade a capacidade da locomoção aérea. Albert Einstein (1879-1955) não teria desenvolvido a teoria da relatividade se tivesse nascido em uma distante localidade do Himalaia e lá permanecido. Mas, por outro lado, se Alberto Santos Dumont tivesse morrido em sua primeira infância, fato comum no lugar e época em que nasceu, e se Albert Einstein tivesse sido consumido pela voragem de uma das guerras europeias do final do século XIX, a humanidade teria que esperar um pouco mais, talvez, pelas suas descobertas. Mas certamente não ficaria privada da teoria da relatividade e do aeroplano, pois outros cientistas e inventores estariam aptos para utilizar os mesmos conhecimentos e realizar as mesmas façanhas. A afirmação acima nos leva a fazer algumas breves considerações sobre as invenções simultâneas, objeto de intensas polêmicas pela escola difusionista. Ao mesmo tempo em que Santos Dumont tentava realizar o seu voo com um aparelho mais pesado que o ar, do outro lado do oceano, dois irmãos, utilizando os mesmos conhecimentos e a mesma experiência, tentavam e conseguiram o mesmo feito. O mesmo ocorreu com certo matemático que, ao terminar de redigir a sua tese de doutoramento e se preparar para editá-la, descobriu em uma revista europeia um artigo, escrito por um outro matemático com o qual não teve o menor contato, que sintetizava toda a sua tese. A explicação para tal fato é muito simples: comparando-se a bibliografia utilizada por cada um descobriu-se serem ambas muito semelhantes. Assim, diante de um mesmo material cultural, dois cientistas agindo independentemente chegaram a um mesmo resultado.

Mesmo quando entre dois inventores simultâneos existe a separação da diversidade cultural, a explicação é muito simples (mais simples do que a intervenção de seres extra-

48 Cultura: um conceito antropológico

terrestres ou sobrenaturais para explicar a ocorrência de pirâmides no Egito e no México): para alguns tipos de problemas existem determinadas limitações de alternativas que possibilitam que invenções iguais ocorram em culturas diferentes. Uma construção está limitada pelas formas geométricas, e estas são limitadas, portanto nada existe demais que em duas partes do mundo elas assumam independentemente formas piramidais.

Resumindo, a contribuição de Kroeber para a ampliação do conceito de cultura pode ser relacionada nos seguintes pontos:

1. A cultura, mais do que a herança genética, determina o comportamento do homem e justifica as suas realizações.

2. O homem age de acordo com os seus padrões culturais. Os seus instintos foram parcialmente anulados pelo longo processo evolutivo por que passou. (Voltaremos a este ponto mais adiante.)

3. A cultura é o meio de adaptação aos diferentes ambientes ecológicos. Em vez de modificar para isto o seu aparato biológico, o homem modifica o seu equipamento superorgânico.

4. Em decorrência da afirmação anterior, o homem foi capaz de romper as barreiras das diferenças ambientais e transformar toda a terra em seu habitat.

5. Adquirindo cultura, o homem passou a depender muito mais do aprendizado do que a agir através de atitudes geneticamente determinadas.

6. Como já era do conhecimento da humanidade desde o Iluminismo, é este processo de aprendizagem (socia-

lização ou endoculturação, não importa o termo) que determina o seu comportamento e a sua capacidade artística ou profissional.

7. A cultura é um processo acumulativo, resultante de toda a experiência histórica das gerações anteriores. Este processo limita ou estimula a ação criativa do indivíduo.

8. Os gênios são indivíduos altamente inteligentes que têm a oportunidade de utilizar o conhecimento existente ao seu dispor, construído pelos participantes vivos e mortos de seu sistema cultural, e criar um novo objeto ou uma nova técnica. Nesta classificação podem ser incluídos os indivíduos que fizeram as primeiras invenções, tais como o primeiro homem que produziu o fogo através do atrito da madeira seca; ou o primeiro homem que fabricou a primeira máquina capaz de ampliar a força muscular, o arco e a flecha etc. São eles gênios da mesma grandeza de Santos Dumont e Einstein. Sem as suas primeiras invenções ou descobertas, hoje consideradas modestas, não teriam ocorrido as demais. E pior do que isto, talvez nem mesmo a espécie humana teria chegado ao que é hoje.

Gostaríamos, agora, antes de finalizarmos este capítulo, de voltar a discutir dois pontos que parecem, ao senso comum, mais controvertidos:

O primeiro deles refere-se ao ofuscamento dos instintos humanos pelo desenvolvimento da cultura. Na verdade, nem todos os instintos foram suprimidos; a criança ao nascer busca o seio materno e instintivamente faz com a boquinha o movimento de sucção. Mais tarde, movida ain-

50 Cultura: um conceito antropológico

da por instintos, procurará utilizar os seus membros e conseguirá produzir sons, embora tenda a imitar os emitidos pelos adultos que a rodeiam. Mas, muito cedo, tudo o que fizer não será mais determinado por instintos, mas sim pela imitação dos padrões culturais da sociedade em que vive.

As perguntas que comumente se colocam: Mas onde fica o instinto de conservação? O instinto materno? O instinto filial? O instinto sexual? etc.

Em primeiro lugar, tais palavras exprimem um erro semântico, pois não se referem a comportamentos determinados biologicamente, mas sim a padrões culturais. Pois se prevalecesse o primeiro caso, toda a humanidade deveria agir igualmente diante das mesmas situações, e isto não é verdadeiro. Vejamos:

Como falar em instinto de conservação quando lembramos as façanhas dos camicases japoneses (pilotos suicidas) durante a Segunda Guerra Mundial? Se o instinto existisse, seria impossível aos arrojados pilotos guiarem os seus aviões de encontro às torres das belonaves americanas. O mesmo é verdadeiro para os índios das planícies americanas, que possuíam algumas sociedades militares nas quais os seus membros juravam morrer em combate e assim assegurar um melhor lugar no outro mundo.

Como falar em instinto materno quando sabemos que o infanticídio é um fato muito comum entre diversos grupos humanos? Tomemos o exemplo das mulheres Tapirapé, tribo Tupi do Norte do Mato Grosso, que desconheciam quaisquer técnicas anticoncepcionais ou abortivas e eram obrigadas, por crenças religiosas, a matar todos os filhos após o terceiro. Tal atitude era considerada normal e não criava nenhum sentimento de culpa entre as praticantes do infanticídio.

Como falar em instinto filial, quando sabemos que os esquimós conduziam os seus velhos pais para as planícies geladas para serem devorados pelos ursos? Assim fazendo, acreditavam que os pais seriam reincorporados na tribo quando o urso fosse abatido e devorado pela comunidade.

Como falar em instinto sexual? Muitos são os casos conhecidos de adolescentes, crescidos em contextos puritanos, que desconheciam completamente como agir em relação aos membros do outro sexo simplesmente porque não tiveram a possibilidade de presenciar um ato sexual e ninguém os ter esclarecido sobre tais atitudes.[21]

Concluindo, tudo que o homem faz, aprendeu com os seus semelhantes e não decorre de imposições originadas fora da cultura. (A este respeito, consulte o nosso Anexo 1 — "Uma experiência absurda".)

O segundo ponto, que costuma apresentar algumas controvérsias, refere-se ao item 7 acima, ou seja, a cultura como um processo acumulativo. Através da discussão deste ponto podemos entender melhor a diferença que existe entre o homem e seus parentes mais próximos, os pongídeos. Acompanhando o desenvolvimento de uma criança humana e de uma criança chimpanzé até o primeiro ano de vida, não se nota muita diferença: ambas são capazes de aprender, mais ou menos, as mesmas coisas. Mas quando a criança começa a aprender a falar, coisa que o chimpanzé não consegue, a distância torna-se imensa. Através da comunicação oral, a criança vai recebendo informações sobre todo o conhecimento acumulado pela cultura em que vive. Tal fato, associado com a sua capacidade de observação e de invenção, faz com que ela se distancie cada vez mais de seu companheiro de infância.

52 Cultura: um conceito antropológico

É interessante observar que não falta ao chimpanzé a mesma capacidade de observação e de invenção, faltando-lhe porém a possibilidade de comunicação. Assim sendo, cada observação realizada por um indivíduo chimpanzé não beneficia a sua espécie, pois nasce e acaba com ele. No caso humano, ocorre exatamente o contrário: toda a experiência de um indivíduo é transmitida aos demais, criando assim um interminável processo de acumulação.

Assim sendo, a comunicação é um processo cultural. Mais explicitamente, a linguagem humana é um produto da cultura, mas não existiria cultura se o homem não tivesse a possibilidade de desenvolver um sistema articulado de comunicação oral.

5. IDEIA SOBRE A ORIGEM DA CULTURA

Uma das primeiras preocupações dos estudiosos com relação à cultura refere-se a sua origem. Em outras palavras, como o homem adquiriu este processo extrassomático que o diferenciou de todos os animais e lhe deu um lugar privilegiado na vida terrestre?

Uma resposta simplificada da questão seria a de que o homem adquiriu, ou melhor, produziu cultura a partir do momento em que seu cérebro, modificado pelo processo evolutivo dos primatas, foi capaz de assim proceder. Não resta dúvida de que se trata de uma resposta insatisfatória, com um odor tautológico, e que não deixa de nos conduzir a uma outra pergunta: mas como e por que se modificou o cérebro do primata, a ponto de atingir a dimensão e a complexidade que permitiram o aparecimento do homem?

Segundo diversos autores, entre eles Richard Leackey e Roger Lewin,[1] o início do desenvolvimento do cérebro humano é uma consequência da vida arborícola de seus remotos antepassados. Esta vida arborícola, onde o faro perdeu muito de sua importância, foi responsável pela eclosão de uma visão estereoscópica. Esta, combinada com a capacidade de utilização das mãos, abriu para os primatas, principalmente os superiores, um mundo tridimensional, inexistente para qualquer outro mamífero. O fato de poder pegar e examinar um objeto atribui a este significado pró-

54 Cultura: um conceito antropológico

prio. A forma e a cor podem ser correlacionadas com a resistência e o peso (não deixando ainda de lado a tradicional forma de investigação dos mamíferos: o olfato), fornecendo uma nova percepção.

David Pilbeam[2] refere-se ao bipedismo como uma característica exclusiva dos primatas entre todos os mamíferos. "Quase todos os primatas vivos se comportam como bípedes de vez em quando", afirma ele. A seguir considera que o bipedismo foi, provavelmente, o resultado de todo um conjunto de pressões seletivas: "para o animal parecer maior e mais intimidante, para transportar objetos (alimentos ou filhotes), para utilizar armas (cacete ou lança) e para aumentar a visibilidade".[3]

Kenneth P. Oakley destaca a importância da habilidade manual, possibilitada pela posição ereta, ao proporcionar maiores estímulos ao cérebro, com o consequente desenvolvimento da inteligência humana. A cultura seria, então, o resultado de um cérebro mais volumoso e complexo.[4]

Deixando de lado as explicações de paleontologia humana, é oportuno tomar conhecimento do pensamento de dois importantes antropólogos sociais contemporâneos a respeito do momento em que o primata transforma-se em homem.

Claude Lévi-Strauss, o mais destacado antropólogo francês, considera que a cultura surgiu no momento em que o homem convencionou a primeira regra, a primeira norma. Para Lévi-Strauss, esta seria a proibição do incesto, padrão de comportamento comum a todas as sociedades humanas. Todas elas proíbem a relação sexual de um homem com certas categorias de mulheres (entre nós, a mãe, a filha e a irmã).

Leslie White, antropólogo norte-americano contemporâneo, considera que a passagem do estado animal para o humano ocorreu quando o cérebro do homem foi capaz de gerar símbolos.

> Todo comportamento humano se origina no uso de símbolos. Foi o símbolo que transformou nossos ancestrais antropoides em homens e fê-los humanos. Todas as civilizações se espalharam e perpetuaram somente pelo uso de símbolos ... . Toda cultura depende de símbolos. É o exercício da faculdade de simbolização que cria a cultura e o uso de símbolos que torna possível a sua perpetuação. Sem o símbolo não haveria cultura, e o homem seria apenas animal, não um ser humano. ... O comportamento humano é o comportamento simbólico. Uma criança do gênero *Homo* torna-se humana somente quando é introduzida e participa da ordem de fenômenos superorgânicos que é a cultura. E a chave deste mundo, e o meio de participação nele, é o símbolo.[5]

Com efeito, temos de concordar que é impossível para um animal compreender os significados que os objetos recebem de cada cultura. Como, por exemplo, a cor preta significa luto entre nós e entre os chineses é o branco que exprime esse sentimento. Mesmo um símio não saberia fazer a distinção entre um pedaço de pano, sacudido ao vento, e uma bandeira desfraldada. Isto porque, como afirmou o próprio White, "todos os símbolos devem ter uma forma física, pois do contrário não podem penetrar em nossa experiência, mas o seu significado não pode ser percebido

56 Cultura: um conceito antropológico

pelos sentidos". Ou seja, para perceber o significado de um símbolo é necessário conhecer a cultura que o criou.

Vimos algumas explicações sobre o aparecimento da cultura. Explicações de natureza física e social. Algumas delas tendem implícita ou explicitamente a admitir que a cultura apareceu de repente, num dado momento. Um verdadeiro salto da natureza para a humanidade. Tal postura implica a aceitação de um ponto crítico, expressão esta utilizada por Alfred Kroeber ao conceber a eclosão da cultura como um acontecimento súbito, um salto quantitativo na filogenia dos primatas: em um dado momento um ramo dessa família sofreu uma alteração orgânica e tornou-se capaz de "exprimir-se, aprender, ensinar e de fazer generalizações a partir da infinita cadeia de sensações e objetivos isolados".

Em essência, a explanação acima não é muito diferente da formulada por alguns pensadores católicos, preocupados com a conciliação entre a doutrina e a ciência, segundo a qual o homem adquiriu cultura no momento em que recebeu do Criador uma alma imortal. E esta somente foi atribuída ao primata no momento em que a Divindade considerou que o corpo do mesmo tinha evoluído organicamente o suficiente para tornar-se digno de uma alma e, consequentemente, de cultura.

O ponto crítico, mais do que um evento maravilhoso, é hoje considerado uma impossibilidade científica: a natureza não age por saltos. O primata, como ironizou um antropólogo físico, não foi promovido da noite para o dia ao posto de homem. O conhecimento científico atual está convencido de que o salto da natureza para a cultura foi contínuo e incrivelmente lento.

Clifford Geertz, antropólogo norte-americano, mostra em seu artigo "A transição para a humanidade"[6] como a paleontologia humana demonstrou que o corpo humano formou-se aos poucos. O Australopiteco Africano (cujas datações recentes realizadas na Tanzânia atribuem-lhe uma antiguidade muito maior que 2 milhões de anos), embora dotado de um cérebro 1/3 menor que o nosso e uma estatura não superior a 1,20 m, já manufaturava objetos e caçava pequenos animais. Devido à dimensão de seu cérebro parece, entretanto, improvável que possuísse uma linguagem, na moderna acepção da palavra.

O Australopiteco parece ser, portanto, uma espécie de homem que evidentemente era capaz de adquirir alguns elementos da cultura — fabricação de instrumentos simples, caça esporádica, e talvez um sistema de comunicação mais avançado do que o dos macacos contemporâneos, embora mais atrasado do que a fala humana —, porém incapaz de adquirir outros, o que lança certa dúvida sobre a teoria do ponto crítico.[7]

O fato de que o cérebro do Australopiteco media 1/3 do nosso leva Geertz a concluir que "logicamente a maior parte do crescimento cortical humano foi *posterior* e não *anterior* ao início da cultura". Assim, continua: "O fato de ser errônea a teoria do ponto crítico (pois o desenvolvimento cultural já se vinha processando bem antes de cessar o desenvolvimento orgânico) é de importância fundamental para o nosso ponto de vista sobre a natureza do homem, que se torna, então, não apenas o produtor da cultura, mas também, num sentido especificamente biológico, o produto da cultura."

58   Cultura: um conceito antropológico

A cultura desenvolveu-se, pois, simultaneamente com o próprio equipamento biológico e é, por isso mesmo, compreendida como uma das características da espécie, ao lado do bipedismo e de um adequado volume cerebral.

6. TEORIAS MODERNAS SOBRE CULTURA

Vimos, no início deste trabalho, que uma das tarefas da antropologia moderna tem sido a reconstrução do conceito de cultura, fragmentado por numerosas reformulações. Neste capítulo procuraremos sintetizar os principais esforços para a obtenção deste objetivo. A nossa missão será facilitada com a utilização do esquema elaborado pelo antropólogo Roger Keesing em seu artigo "Theories of Culture"[1], no qual classifica as tentativas modernas de obter uma precisão conceitual.

Keesing refere-se, inicialmente, às teorias que consideram a cultura como um *sistema adaptativo*. Difundida por neoevolucionistas como Leslie White, esta posição foi reformulada criativamente por Sahlins, Harris, Carneiro, Rappaport, Vayda e outros, que, apesar das fortes divergências que apresentam entre si, concordam que:

> 1. "Culturas são sistemas (de padrões de comportamento socialmente transmitidos) que servem para adaptar as comunidades humanas aos seus embasamentos biológicos. Esse modo de vida das comunidades inclui tecnologias e modos de organização econômica, padrões de estabelecimento, de agrupamento social e organização política, crenças e práticas religiosas, e assim por diante."

60   Cultura: um conceito antropológico

2. "Mudança cultural é primariamente um processo de adaptação equivalente à seleção natural." ("O homem é um animal e, como todos os animais, deve manter uma relação adaptativa com o meio circundante para sobreviver. Embora ele consiga esta adaptação através da cultura, o processo é dirigido pelas mesmas regras de seleção natural que governam a adaptação biológica." B. Meggers, 1977.)

3. "A tecnologia, a economia de subsistência e os elementos da organização social diretamente ligada à produção constituem o domínio mais adaptativo da cultura. É neste domínio que usualmente começam as mudanças adaptativas que depois se ramificam. Existem, entretanto, divergências sobre como opera este processo. Estas divergências podem ser notadas nas posições do materialismo cultural, desenvolvido por Marvin Harris, na dialética social dos marxistas, no evolucionismo cultural de Elman Service e entre os ecologistas culturais, como Steward."

4. "Os componentes ideológicos dos sistemas culturais podem ter consequências adaptativas no controle da população, da subsistência, da manutenção do ecossistema etc."

Em segundo lugar, Roger Keesing refere-se às *teorias idealistas de cultura*, que subdivide em três diferentes abordagens. A primeira delas é a dos que consideram *cultura como sistema cognitivo*, produto dos chamados "novos etnógrafos". Esta abordagem antropológica tem se distinguido pelo estudo dos sistemas de classificação de *folk*,[2] isto é, a análise dos modelos construídos pelos membros da comunidade a respeito de seu próprio universo. Assim, para W. Goodenough, cultura é um sistema de conhecimento: "consiste em tudo aquilo que alguém tem de conhecer ou acreditar para operar de maneira aceitável dentro de sua sociedade". Keesing comenta que se cultura for assim concebida ela fica situada epistemologicamente no mesmo domínio da linguagem, como um evento observável. Daí o fato de que a antropologia cognitiva (a praticada pelos "novos etnógrafos") tem se apropriado dos métodos linguísticos, como por exemplo a análise componencial.

A segunda abordagem é aquela que considera *cultura como sistemas estruturais*, ou seja, a perspectiva desenvolvida por Claude Lévi-Strauss, "que define cultura como um sistema simbólico que é uma criação acumulativa da mente humana. O seu trabalho tem sido o de descobrir na estruturação dos domínios culturais — mito, arte, parentesco e linguagem — os princípios da mente que geram essas elaborações culturais".

Keesing é muito sucinto na análise desta abordagem, que em um dado momento teve uma grande aceitação no meio acadêmico brasileiro. Lévi-Strauss, a seu modo, formula uma nova teoria da unidade psíquica da humanidade. Assim, os paralelismos culturais são por ele explicados pelo fato de que o pensamento humano está submetido a regras inconscientes, ou seja, um conjunto de princípios — tais como a lógica de contrastes binários, de relações e transformações — que controlam as manifestações empíricas de um dado grupo.

A última das três abordagens, entre as teorias idealistas, é a que considera *cultura como sistemas simbólicos*. Esta posição foi desenvolvida nos Estados Unidos principalmen-

62 Cultura: um conceito antropológico

te por dois antropólogos: o já conhecido Clifford Geertz e David Schneider.

O primeiro deles busca uma definição de homem baseada na definição de cultura. Para isto, refuta a ideia de uma forma ideal de homem, decorrente do Iluminismo e da antropologia clássica, perto da qual as demais eram distorções ou aproximações, e tenta resolver o paradoxo (citado no início deste livro) de uma imensa variedade cultural que contrasta com a unidade da espécie humana. Para isto, a cultura deve ser considerada "não um complexo de comportamentos concretos mas um conjunto de mecanismos de controle, planos, receitas, regras, instruções (que os técnicos de computadores chamam programa) para governar o comportamento". Assim, para Geertz, todos os homens são geneticamente aptos para receber um programa, e este programa é o que chamamos de cultura. E esta formulação — que consideramos uma nova maneira de encarar a unidade da espécie — permitiu a Geertz afirmar que "um dos mais significativos fatos sobre nós pode ser finalmente a constatação de que todos nascemos com um equipamento para viver mil vidas, mas terminamos no fim tendo vivido uma só!" Em outras palavras, a criança está apta ao nascer a ser socializada em qualquer cultura existente. Esta amplitude de possibilidades, entretanto, será limitada pelo contexto real e específico onde de fato ela crescer.

Voltando a Keesing, este nos mostra que Geertz considera a abordagem dos novos etnógrafos como um formalismo reducionista e espúrio, porque aceitar simplesmente os modelos conscientes de uma comunidade é admitir que os significados estão na cabeça das pessoas. E, para Geertz, os símbolos e significados são partilhados pelos atores (os membros do sistema cultural) entre eles, mas não dentro deles. São públicos e não privados. Cada um de nós sabe o que fazer em determinadas situações, mas nem todos sabem prever o que fariam nessas situações. Estudar a cultura é portanto estudar um código de símbolos partilhados pelos membros dessa cultura.

Assim procedendo, Geertz considera que a antropologia busca interpretações. Com isto, ele abandona o otimismo de Goodenough, que pretende captar o código cultural em uma gramática; ou a pretensão de Lévi-Strauss em descodificá-lo. A interpretação de um texto cultural será sempre uma tarefa difícil e vagarosa.

David Schneider tem uma abordagem distinta, embora em muitos pontos semelhante à de Geertz. O ponto de vista de Schneider sobre cultura está claramente expresso em sua introdução do seu livro *American Kinship: A Cultural Account*:[3] "Cultura é um sistema de símbolos e significados. Compreende categorias ou unidades e regras sobre relações e modos de comportamento. O status epistemológico das unidades ou 'coisas' culturais não depende da sua observabilidade: mesmo fantasmas e pessoas mortas podem ser categorias culturais."

Neste ponto, o leitor já deverá ter compreendido que a discussão não terminou — continua ainda —, e provavelmente nunca terminará, pois uma compreensão exata do conceito de cultura significa a compreensão da própria natureza humana, tema perene da incansável reflexão humana. Assim, no final desta primeira parte, só nos resta afirmar mineiramente como Murdock (1932): "Os antropólogos sabem de fato o que é cultura, mas divergem na maneira de exteriorizar este conhecimento."[4]

Segunda parte

•

COMO OPERA A CULTURA

•

Na primeira parte deste trabalho discutimos o desenvolvimento, na antropologia, do conceito de cultura. Mostramos também as explicações da ciência para o processo de evolução biocultural do homem. Em outras palavras, vimos como a cultura, a principal característica humana, desenvolveu-se simultaneamente com o equipamento fisiológico do homem. Preocupamo-nos então em fornecer uma descrição diacrônica do próprio desenvolvimento teórico da antropologia. Nesta segunda parte pretendemos mostrar, de uma maneira mais prática, a atuação da cultura e de que forma ela molda uma vida "num ser biologicamente preparado para viver mil vidas".

1. A CULTURA CONDICIONA A VISÃO DE MUNDO DO HOMEM

Ruth Benedict escreveu em seu livro *O crisântemo e a espada*[1] que a cultura é como uma lente através da qual o homem vê o mundo. Homens de culturas diferentes usam lentes diversas e, portanto, têm visões desencontradas das coisas. Por exemplo, a floresta amazônica não passa para o antropólogo — desprovido de um razoável conhecimento de botânica — de um amontoado confuso de árvores e arbustos, dos mais diversos tamanhos e com uma imensa variedade de tonalidades verdes. A visão que um índio Tupi tem deste mesmo cenário é totalmente diversa: cada um desses vegetais tem um significado qualitativo e uma referência espacial. Ao invés de dizer como nós: "encontro-lhe na esquina junto ao edifício x", eles frequentemente usam determinadas árvores como ponto de referência. Assim, ao contrário da visão de um mundo vegetal amorfo, a floresta é vista como um conjunto ordenado, constituído de formas vegetais bem-definidas.

A nossa herança cultural, desenvolvida através de inúmeras gerações, sempre nos condicionou a reagir depreciativamente em relação ao comportamento daqueles que agem fora dos padrões aceitos pela maioria da comunidade. Por isto, discriminamos o comportamento desviante. Até recentemente, por exemplo, o homossexual cor-

68   Cultura: um conceito antropológico

ria o risco de agressões físicas quando era identificado numa via pública e ainda é objeto de termos depreciativos. Tal fato representa um tipo de comportamento padronizado por um sistema cultural. Esta atitude varia em outras culturas. Entre algumas tribos das planícies norte-americanas, o homossexual era visto como um ser dotado de propriedades mágicas, capaz de servir de mediador entre o mundo social e o sobrenatural, e portanto respeitado. Um outro exemplo de atitude diferente de comportamento desviante encontramos entre alguns povos da Antiguidade, onde a prostituição não constituía um fato anômalo: jovens da Lícia praticavam relações sexuais em troca de moedas de ouro, a fim de acumular um dote para o casamento.

O modo de ver o mundo, as apreciações de ordem moral e valorativa, os diferentes comportamentos sociais e mesmo as posturas corporais são assim produtos de uma herança cultural, ou seja, o resultado da operação de uma determinada cultura.

Graças ao que foi dito acima, podemos entender o fato de que indivíduos de culturas diferentes podem ser facilmente identificados por uma série de características, tais como o modo de agir, vestir, caminhar, comer, sem mencionar a evidência das diferenças linguísticas, o fato de mais imediata observação empírica.

Mesmo o exercício de atividades consideradas como parte da fisiologia humana podem refletir diferenças de cultura. Tomemos, por exemplo, o riso. Rir é uma propriedade do homem e dos primatas superiores. O riso se expressa, primariamente, através da contração de determinados músculos da face e da emissão de um determinado tipo de som vocal. O riso exprime quase sempre um estado de alegria. Todos os homens riem, mas o fazem de maneira diferente por motivos diversos.

A primeira vez que vimos um índio Kaapor rir foi um motivo de susto. A emissão sonora, profundamente alta, assemelhava-se a imaginários gritos de guerra e a expressão facial em nada se assemelhava com aquilo que estávamos acostumados a ver. Tal fato se explica porque cada cultura tem um determinado padrão para este fim. Os alunos de uma sala de aula nossa, por exemplo, estão convencidos de que cada um deles tem um modo particular de rir, mas um observador estranho a nossa cultura comentará que todos eles riem de uma mesma forma. Na verdade, as diferenças percebidas pelos estudantes, e não pelo observador de fora, são variações de um mesmo padrão cultural. Por isto é que acreditamos que todos os japoneses riem de uma mesma maneira. Temos a certeza de que os japoneses também estão convencidos que o riso varia de indivíduo para indivíduo dentro do Japão e de que todos os ocidentais riem de modo igual.

Pessoas de culturas diferentes riem de coisas diversas. O repetitivo pastelão americano não encontra entre nós a mesma receptividade da comédia erótica italiana, porque em nossa cultura a piada deve ser temperada com uma boa dose de sexo e não melada pelo arremesso de tortas e bolos na face do adversário. Voltando aos japoneses: riem muitas vezes por questão de etiqueta, mesmo em momentos evidentemente desagradáveis. Enfim, poderíamos continuar indefinidamente mostrando que o riso é totalmente condicionado pelos padrões culturais, apesar de toda a sua fisiologia.

70   Cultura: um conceito antropológico

Ainda com referência às diferentes maneiras culturais de efetuar ações fisiológicas, gostaríamos de citar o clássico artigo de Marcel Mauss (1872-1950) "Noção de técnica corporal",[2] no qual analisa as formas como os homens, de sociedades diferentes, sabem servir-se de seus corpos. Segundo Mauss, podemos admitir com certeza que se "uma criança senta-se à mesa com os cotovelos junto ao corpo e permanece com as mãos nos joelhos, quando não está comendo, ela é inglesa. Um jovem francês não sabe mais se dominar: ele abre os cotovelos em leque e apoia-os sobre a mesa". Não é difícil imaginar que a posição das crianças brasileiras, nesta mesma situação, pode ser bem diversa.

Como exemplo destas diferenças culturais em atos que podem ser classificados como naturais, Mauss cita ainda as técnicas do nascimento e da obstetrícia. Segundo ele, "Buda nasceu estando sua mãe, Māya, agarrada, reta, a um ramo de árvore. Ela deu à luz em pé. Boa parte das mulheres da Índia ainda dão à luz desse modo". Para nós, a posição normal é a mãe deitada sobre as costas, e entre os Tupis e outros índios brasileiros a posição é de cócoras. Em algumas regiões do meio rural existiam cadeiras especiais para o parto sentado. Entre estas técnicas podem-se incluir o chamado parto sem dor e provavelmente muitas outras modalidades culturais que estão à espera de um cadastramento etnográfico.

Dentro de uma mesma cultura, a utilização do corpo é diferenciada em função do sexo. As mulheres sentam, caminham, gesticulam etc. de maneiras diferentes das do homem. Estas posturas femininas são copiadas pelos travestis.

Resumindo, todos os homens são dotados do mesmo equipamento anatômico, mas a utilização do mesmo, ao invés de ser determinada geneticamente (todas as formigas de uma dada espécie usam os seus membros uniformemente), depende de um aprendizado, e este consiste na cópia de padrões que fazem parte da herança cultural do grupo.

Não pretendemos nos estender neste ponto porque os exemplos seriam inumeráveis, mas vamos acrescentar mais um exemplo: o homem recupera a sua energia, a sua força de trabalho, através da alimentação. Esta é realizada de formas múltiplas e com alimentos diferentes.

É evidente e amplamente conhecida a grande diversidade gastronômica da espécie humana. Frequentemente, esta diversidade é utilizada para classificações depreciativas; assim, no início do século os americanos denominavam os franceses de "comedores de rãs". Os índios Kaapor discriminam os Timbira chamando-os pejorativamente de "comedores de cobra". E a palavra potiguara pode significar realmente "comedores de camarão", mas resta uma dúvida linguística desde que em Tupi ela soa muito próximo da palavra que significa "comedores de fezes".

As pessoas não se chocam, apenas, porque as outras comem coisas diferentes, mas também pela maneira que agem à mesa. Como utilizamos garfos, surpreendemo-nos com o uso dos palitos pelos japoneses e das mãos por certos segmentos de nossa sociedade:

"Vida de Pará,
Vida de descanso,
Comer de arremesso
E dormir de balanço."

Em algumas sociedades o ato de comer pode ser público, em outras uma atividade privada. Alguns rituais de boas

72 Cultura: um conceito antropológico

maneiras exigem um forte arroto, após a refeição, como sinal de agrado da mesma. Tal fato, entre nós, seria considerado, no mínimo, como indicador de má educação. Entre os latinos, o ato de comer é um verdadeiro rito social, segundo o qual, em horas determinadas, a família deve toda sentar-se à mesa, com o chefe na cabeceira, e somente iniciar a alimentação, em alguns casos, após uma prece.

Roger Keesing em seu manual *New Perspectives in Cultural Anthropology*[3] começa com uma parábola que aconteceu ser verdadeira: "Uma jovem da Bulgária ofereceu um jantar para os estudantes americanos, colegas de seu marido, e entre eles foi convidado um jovem asiático. Após os convidados terem terminado os seus pratos, a anfitriã perguntou quem gostaria de repetir, pois uma anfitriã búlgara que deixasse os seus convidados se retirarem famintos estaria desgraçada. O estudante asiático aceitou um segundo prato, e um terceiro — enquanto a anfitriã ansiosamente preparava mais comida na cozinha. Finalmente, no meio de seu quarto prato o estudante caiu ao solo, convencido de que agiu melhor do que insultar a anfitriã pela recusa da comida que lhe era oferecida, conforme o costume de seu país." Esta parábola, acrescenta Keesing, reflete a condição humana. O homem tem despendido grande parte da sua história na Terra separado em pequenos grupos, cada um com a sua própria linguagem, sua própria visão de mundo, seus costumes e expectativas.

O fato de que o homem vê o mundo através de sua cultura tem como consequência a propensão em considerar o seu modo de vida como o mais correto e o mais natural. Tal tendência, denominada etnocentrismo, é responsável em seus casos extremos pela ocorrência de numerosos conflitos sociais.

O etnocentrismo, de fato, é um fenômeno universal. É comum a crença de que a própria sociedade é o centro da humanidade, ou mesmo a sua única expressão. As autodenominações de diferentes grupos refletem este ponto de vista. Os Cheyene, índios das planícies norte-americanas, se autodenominavam "os entes humanos"; os Akuáwa, grupo Tupi do Sul do Pará, consideram-se "os homens"; os esquimós também se denominam "os homens"; da mesma forma que os Navajo se intitulavam "o povo". Os australianos chamavam as roupas de "peles de fantasmas", pois não acreditavam que os ingleses fossem parte da humanidade; e os nossos Xavante acreditam que o seu território tribal está situado bem no centro do mundo. É comum assim a crença no povo eleito, predestinado por seres sobrenaturais para ser superior aos demais. Tais crenças contêm o germe do racismo, da intolerância, e, frequentemente, são utilizadas para justificar a violência praticada contra os outros.

A dicotomia "nós e os outros" expressa em níveis diferentes essa tendência. Dentro de uma mesma sociedade, a divisão ocorre sob a forma de parentes e não parentes. Os primeiros são melhores por definição e recebem um tratamento diferenciado. A projeção desta dicotomia para o plano extragrupal resulta nas manifestações nacionalistas ou formas mais extremadas de xenofobia.

O ponto fundamental de referência não é a humanidade, mas o grupo. Daí a reação, ou pelo menos a estranheza, em relação aos estrangeiros. A chegada de um estranho em determinadas comunidades pode ser considerada como a quebra da ordem social ou sobrenatural. Os Xamã Surui (índios Tupi do Pará) defumam com seus grandes charutos

74 Cultura: um conceito antropológico

rituais os primeiros visitantes da aldeia, a fim de purificá-los e torná-los inofensivos.

O costume de discriminar os que são diferentes, porque pertencem a outro grupo, pode ser encontrado mesmo dentro de uma sociedade. A relação de parentesco consanguíneo afim pode ser tomada como exemplo. Entre os romanos, a maneira de neutralizar os inconvenientes da afinidade consistia em transformar a noiva em consanguínea, incorporando-a no clã do noivo pelo ritual de carregá-la através da soleira da porta (ritual este perpetuado por Hollywood). A noiva japonesa tem a cabeça coberta por um véu alto que esconde os "chifres" que representam a discórdia a ser implantada na família do noivo com o início da relação afim. Um outro exemplo são as agressões verbais, e até físicas, praticadas contra os estranhos que se arriscam em determinados bairros periféricos de nossas grandes cidades.

Comportamentos etnocêntricos resultam também em apreciações negativas dos padrões culturais de povos diferentes. Práticas de outros sistemas culturais são catalogadas como absurdas, deprimentes e imorais.

2. A CULTURA INTERFERE
NO PLANO BIOLÓGICO

Vimos, acima, que a cultura interfere na satisfação das necessidades fisiológicas básicas. Veremos, agora, como ela pode condicionar outros aspectos biológicos e até mesmo decidir sobre a vida e a morte dos membros do sistema.

Comecemos pela reação oposta ao etnocentrismo, que é a apatia. Em lugar da superestima dos valores de sua própria sociedade, numa dada situação de crise os membros de uma cultura abandonam a crença nesses valores e, consequentemente, perdem a motivação que os mantém unidos e vivos. Diversos exemplos dramáticos deste tipo de comportamento anômico são encontrados em nossa própria história.

Os africanos removidos violentamente de seu continente (ou seja, de seu ecossistema e de seu contexto cultural) e transportados como escravos para uma terra estranha habitada por pessoas de fenotipia, costumes e línguas diferentes perdiam toda a motivação de continuar vivos. Muitos foram os suicídios praticados, e outros acabavam sendo mortos pelo mal que foi denominado de banzo. Traduzido como saudade, o banzo é de fato uma forma de morte decorrente da apatia.

Foi, também, a apatia que dizimou parte da população Kaingang de São Paulo, quando teve o seu território inva-

76 Cultura: um conceito antropológico

dido pelos construtores da Estrada de Ferro Noroeste. Ao perceberem que os seus recursos tecnológicos, e mesmo os seus seres sobrenaturais, eram impotentes diante do poder da sociedade branca, estes índios perderam a crença em sua sociedade. Muitos abandonaram a tribo, outros simplesmente esperaram pela morte, que não tardou.[1]

Entre os índios Kaapor, grupo Tupi do Maranhão, acredita-se que se uma pessoa vê um fantasma ela logo morrerá. O principal protagonista de um filme, realizado em 1953 por Darcy Ribeiro e Hains Forthmann, ao regressar de uma caçada contou ter visto a alma de seu falecido pai perambulando pela floresta. O jovem índio deitou em uma rede e dois dias depois estava morto. Em 1967, durante a nossa permanência entre estes índios (quando a história acima nos foi contada), fomos procurados por uma mulher, em estado de pânico, que teria visto um fantasma (um "añan"). Confiante nos poderes do branco, nos solicitou um "añanpuhan" (remédio para fantasma). Diante de uma situação crítica, acabamos por fornecer-lhe um comprimido vermelho de vitaminas, que foi considerado muito eficaz, neste e em outros casos, para neutralizar o malefício provocado pela visão de um morto.

É muito rica a etnografia africana no que se refere às mortes causadas por feitiçaria. A vítima, acreditando efetivamente no poder do mágico e de sua magia, acaba realmente morrendo. Pertti Pelto descreve esse tipo de morte como sendo consequência de um profundo choque psicofisiológico: "A vítima perde o apetite e a sede, a pressão sanguínea cai, o plasma sanguíneo escapa para os tecidos e o coração deteriora. Ela morre de choque, o que é fisiologicamente a mesma coisa que choque de ferimento na guerra e nas mortes de acidente de estrada." É de se supor que em todos os casos relatados o procedimento orgânico que leva ao desenlace tenha sido o mesmo.

Deixando de lado estes exemplos mais drásticos sobre a atuação da cultura sobre o biológico, podemos agora nos referir a um campo que vem sendo amplamente estudado: o das doenças psicossomáticas. Estas são fortemente influenciadas pelos padrões culturais. Muitos brasileiros, por exemplo, dizem padecer de doenças do fígado, embora grande parte dos mesmos ignorem até a localização do órgão. Entre nós são também comuns os sintomas de mal-estar provocados pela ingestão combinada de alimentos. Quem acredita que o leite e a manga constituem uma combinação perigosa certamente sentirá um forte incômodo estomacal se ingerir simultaneamente esses alimentos.

A sensação de fome depende dos horários de alimentação, que são estabelecidos diferentemente em cada cultura. "Meio-dia, quem não almoçou assobia", diz um ditado popular. E de fato, estamos condicionados a sentir fome no meio do dia, por maior que tenha sido o nosso desjejum. A mesma sensação se repetirá no horário determinado para o jantar. Em muitas sociedades humanas, entretanto, estes horários foram estabelecidos diferentemente e, em alguns casos, o indivíduo pode passar um grande número de horas sem se alimentar e sem sentir a sensação de fome.

A cultura também é capaz de provocar curas de doenças, reais ou imaginárias. Estas curas ocorrem quando existe a fé do doente na eficácia do remédio ou no poder dos agentes culturais. Um destes agentes é o xamã de nossas sociedades tribais (entre os Tupi, conhecido pela denominação de paí'é ou pajé). Basicamente, a técnica de cura

78 Cultura: um conceito antropológico

do xamã consiste em uma sessão de cantos e danças, além da defumação do paciente com a fumaça de seus grandes charutos (petin), e a posterior retirada de um objeto estranho do interior do corpo do doente por meio de sucção. O fato de que esse pequeno objeto (pedaço de osso, insetos mortos etc.) tenha sido ocultado dentro de sua boca, desde o início do ritual, não é importante. O que importa é que o doente é tomado de uma sensação de alívio, e em muitos casos a cura se efetiva.

A descrição de uma cura dará, talvez, uma ideia mais detalhada do processo. Após cerca de uma hora de cantar, dançar e puxar no cigarro, o pajé recebeu o espírito. Aproximando-se do doente que estava sentado em um banco, o pajé soprou fumaça primeiro sobre as próprias mãos e, em seguida, sobre o corpo do paciente. Ajoelhando-se junto a ele, esfregou-lhe o peito e o pescoço. A massagem era dirigida para um ponto no peito do doente, e o pajé esfregava as mãos como se tivesse juntado qualquer coisa. Interrompia a massagem para soprar fumaça nas mãos e esfregá-las uma na outra, como se quisesse livrá-las de uma substância invisível. Após muitas massagens no doente, levantou-lhe os braços e encostou seu peito ao dele. Queria assim passar o ymaé (a causa da doença, aquilo que um ser sobrenatural faz entrar no corpo da vítima) do doente para o seu próprio corpo. Não o conseguiu e voltou a repetir as massagens, dessa vez dirigidas para o ombro. Aí aplicou a boca e chupou com muita força. Repetiu as massagens e sucções, intercalando-as com baforadas de cigarro e contrações como se fosse vomitar. Finalmente conseguiu extrair e vomitar o ymaé, que fez desaparecer na mão. Nas curas a que assistimos, os pajés jamais mostraram o ymaé que extraíam dos doentes. Guardavam-nos por algum tempo dentro da mão, livre do cigarro, para fazê-lo desaparecer após. Explicavam, porém, à audiência a sua natureza, o que parecia o bastante. Dizem que os pajés mais poderosos o fazem, e algumas pessoas guardam pequenos objetos que acreditam terem sido retirados de seu corpo por um pajé.[2]

3. OS INDIVÍDUOS PARTICIPAM DIFERENTEMENTE DE SUA CULTURA

A participação do indivíduo em sua cultura é sempre limitada; nenhuma pessoa é capaz de participar de todos os elementos de sua cultura. Este fato é tão verdadeiro nas sociedades complexas com um alto grau de especialização quanto nas simples, onde a especialização refere-se apenas às determinadas pelas diferenças de sexo e de idade.

Com exceção de algumas sociedades africanas — nas quais as mulheres desempenham papéis importantes na vida ritual e econômica —, a maior parte das sociedades humanas permite uma mais ampla participação na vida cultural aos elementos do sexo masculino. Grande parte da vida ritual do Xingu, por exemplo, é interditada às mulheres. Estas não podem ver as flautas Jacui e as que quebram esta interdição sofrem o risco de graves sanções. Em alguns segmentos de nossa sociedade, o trabalho fora de casa é considerado inconveniente para o sexo feminino. Como já discutimos este tema na primeira parte deste trabalho, quando tratamos dos determinismos biológicos, vamos nos limitar a uma discussão mais ampla das restrições decorrentes das categorias etárias.

É óbvio que a participação de um indivíduo em sua cultura depende de sua idade. Mas é necessário saber que esta afirmação permite dois tipos de explicações: uma de ordem cronológica e outra estritamente cultural.

Existem limitações que são objetivamente determinadas pela idade: uma criança não está apta para exercer certas atividades próprias de adultos, da mesma forma que um velho já não é capaz de realizar algumas tarefas. Estes impedimentos decorrem geralmente da incapacidade do desempenho de funções que dependem da força física ou agilidade, como as referentes à guerra, à caça etc. Entre outras funções podemos incluir as que dependem do acúmulo de uma experiência obtida através de muitos anos de preparação. Torna-se fácil entender por que estas são interditadas às crianças e aos jovens e reservadas às pessoas maduras, como certos cargos políticos etc.

No primeiro tipo de impedimento etário as razões parecem ser bastante evidentes, o que não ocorre com o segundo tipo, quando tratamos das razões determinadas culturalmente. Por que um jovem aos 18 anos pode votar, ter um emprego, ir à guerra, se não pode casar, manipular os seus bens financeiros antes dos 21 anos sem a autorização paterna? Por que um homem necessita ter 35 anos para ser um senador? Qual o argumento para impedir o acesso ao mesmo cargo para um homem de 34 anos? Por que uma jovem com 18 anos pode assistir a um determinado filme e uma outra com 17 anos, 11 meses e 20 dias não pode? Por que um assassino com exatamente 18 anos pode ir a julgamento e outro com um dia a menos de vida recebe um tratamento diferenciado?

Estas e outras questões estão relacionadas com a determinação do limite entre as classes etárias, ou seja, como separar objetivamente adolescentes de adultos sem incorrer em algum tipo de arbitrariedade?

82   Cultura: um conceito antropológico

Os grupos tribais utilizam métodos mais evidentes para estabelecer esta distinção: uma moça é considerada adulta logo após a primeira menstruação, podendo a seguir exercer plenamente todos os papéis femininos. Em contrapartida, pode-se afirmar que é evidente que uma jovem de 12 ou 13 anos não está ainda adequadamente socializada para exercer esses papéis numa sociedade complexa. Mas mesmo numa sociedade simples a determinação idêntica para um jovem do sexo masculino não parece ser tão fácil. Provavelmente depende do desempenho individual dos candidatos a um novo status.

Mas, qualquer que seja a sociedade, não existe a possibilidade de um indivíduo dominar todos os aspectos de sua cultura. Isto porque, como afirmou Marion Levy Jr.,[1] "nenhum sistema de socialização é idealmente perfeito, em nenhuma sociedade são todos os indivíduos igualmente bem socializados, e ninguém é perfeitamente socializado. Um indivíduo não pode ser igualmente familiarizado com todos os aspectos de sua sociedade; pelo contrário, ele pode permanecer completamente ignorante a respeito de alguns aspectos". Exemplificando: Einstein era um gênio na física, um medíocre violinista e, provavelmente, seria um completo desastre como pintor.

O importante, porém, é que deve existir um mínimo de participação do indivíduo na pauta de conhecimento da cultura a fim de permitir a sua articulação com os demais membros da sociedade. Todos necessitam saber como agir em determinadas situações e, também, como prever o comportamento dos outros. Somente assim é possível o controle de determinadas ações. Apesar disso tudo há sempre o risco de perda do controle da situação, porque "em nenhuma sociedade todas as condições são previsíveis e controladas".[2]

De fato, os indivíduos podem perder o controle da situação, embora na maioria dos casos isto não seja verdadeiro. E não o é porque o conhecimento mínimo referido abrange um certo número de padrões de comportamento que são regulares e, portanto, permitem a previsão.

Todos os membros de nossa sociedade sabem que uma forma cortês de solicitar algum tipo de favor é a de preceder o pedido com a expressão "por favor". Sabem também da necessidade de agradecer formalmente o atendimento conseguido com as palavras "muito obrigado", sob a pena de não mais conseguir nada de seu interlocutor se esquecerem de pronunciar estes simples vocábulos. Estas palavras, pois, fazem parte de nossos padrões de comportamento, e ignorá-las significa o rompimento de uma regra e, consequentemente, a impossibilidade de prever a resposta. Assim, a solicitação de um favor em termos imperativos pode provocar, entre outras, as seguintes ações: o interlocutor atende ao pedido; finge não ouvir o pedido; nega em termos ríspidos atender ao pedido; ou retruca com um forte palavrão. Estas alternativas somente ocorreram porque foram rompidos padrões de comportamentos que asseguravam a possibilidade de uma previsão.

Tomemos, ainda como exemplo, os nossos termos de parentescos. Se uma pessoa denomina outra de pai, ela espera um determinado tipo de comportamento que geralmente a beneficia. Daí a expressão popular: "negócio de pai para filho". As pessoas sabem como agir e podem prever a ação do outro, mesmo quando diante de um pai com o qual nunca teve um contato anterior.

84 Cultura: um conceito antropológico

Um candidato a um emprego sabe que o empregador dispõe apenas de duas alternativas básicas: conceder-lhe o lugar ou não. A surpresa ocorrerá, apenas, se o empregador agir de maneira inusitada, não prevista pelas duas possibilidades de respostas.

Nem sempre, porém, a falta de comunicação acontece porque um padrão de comportamento foi quebrado, mas porque às vezes os padrões não cobrem todas as situações possíveis. Tal fato ocorre em períodos de mudança cultural e, principalmente, quando estes são determinados por forças externas, quando surgem fatos inesperados e de difícil manipulação. São situações sem precedentes e que, portanto, não são controladas pelo conjunto de regras ordinárias. Nem sempre os indivíduos envolvidos conseguem utilizar sua tradição cultural para contorná-las sem provocar conflitos. Alan Beals transcreve um texto de Robert Murphy, acerca dos índios Munduruku, localizados no rio Madeira, que serve como exemplo para este tipo de situação:

> Isto ocorreu ao jovem chefe Munduruku, quando chamado Biboi. Ele era o filho de um chefe, mas tinha sido educado por um comerciante brasileiro e se sentia superior a seus companheiros. Foi o comerciante que o nomeou capitão de Cabitutu. O papel de capitão consistia em servir de intermediário entre o grupo e as necessidades de comercialização do caucho por parte do comerciante. Em Cabitutu, Biboi não tinha parentes e era considerado muito jovem e por isto tinha menos prestígio que muitos homens do povoado. No intento de fortalecer sua posição, Biboi casou com uma viúva vários anos mais velha que ele. Considerando a mulher

pouco atraente, trouxe para casa uma segunda mulher. A primeira esposa não gostou e atacou a jovem. Os irmãos da primeira obrigaram Biboi a despedir a segunda esposa e afastá-la do povoado. Biboi, então, estabeleceu a jovem em Cabruá, o povoado de seu pai.

Tendo deixado a sua formosa esposa num lugar seguro, como a casa de seu pai, Biboi voltou a Cabitutu para arranjar as coisas e acalmar os descontentes. Mas continuou com as suas maneiras arrogantes e exigentes, e assim os sentimentos do povoado foram se inflamando sem que ele recebesse nenhum apoio de sua primeira esposa e de seus parentes. Entre eles foi crescendo cada vez mais a determinação de exterminá-lo.

Enquanto isto, a pessoa de sua jovem esposa não estava tão segura como Biboi acreditava. Seu esposo estava ausente e ela era uma moça desacompanhada; a sua retidão não foi suficiente para fazer frente aos homens de Cabruá. Breve todos os homens do povoado, com exceção daqueles que eram afetados pela proibição do incesto, desfrutaram os favores da jovem esposa de Biboi...

O equilíbrio do poder e da moral favorecia os oponentes de Biboi, e o esforço dos que o apoiavam tornou-se cada vez mais difícil em virtude do fato de que Biboi havia quase deixado de ser uma pessoa social, as regras já não se aplicavam a ele. Nós mesmos deixamos o lugar antes de que caísse o pano deste pequeno drama social, mas já se podia prever a conclusão. Esta se tornou mais evidente após a nossa saída, quando Caetano caiu de uma palmeira e ficou gravemente ferido durante vários dias. Sabendo que o povo de Cabitutu lhe daria a mortetão logo soubesse do falecimento de

86 Cultura: um conceito antropológico

seu pai, Biboi voltou imediatamente a Cabruá e ali permaneceu até que o ancião conseguisse recuperar-se. Durante este período Biboi se acercou de mim e disse: "Sabe, se meu pai morrer, partirei desta terra e viverei na margem do rio Tapajós." Perguntei por que ele se ia, Biboi respondeu: "Porque é muito bonito lá." Biboi sabia que a sua vida como membro dos Munduruku estava terminada.[3]

Biboi é um homem que não se sente em nenhuma cultura. Não soube manejar as regras para viver bem na sociedade Munduruku — ele se considerava muito superior a eles e acreditava poder ensiná-los. Estava colocado em um status que não lhe pertencia e onde não podia ter êxito, já que não contava com o apoio de parentes. No final teve que escolher entre a morte ou o exílio.[4]

O exemplo descrito acima mostra o que pode ocorrer com uma pessoa que, por força de uma socialização inadequada, não conhece as regras de seu grupo. Embora nenhum indivíduo, repetimos, conheça totalmente o seu sistema cultural, é necessário ter um conhecimento mínimo para operar dentro do mesmo. Além disto, este conhecimento mínimo deve ser partilhado por todos os componentes da sociedade, de forma a permitir a convivência dos mesmos. Um médico pode desconhecer qual a melhor época do ano para o plantio de feijão, um lavrador certamente desconhece as causas de certas anomalias celulares, mas ambos conhecem as regras que regulam a chamada etiqueta social no que se refere às formas de cumprimento entre as pessoas de uma mesma sociedade.

4. A CULTURA TEM UMA LÓGICA PRÓPRIA

Já foi o tempo em que se admitia existirem sistemas culturais lógicos e sistemas culturais pré-lógicos. Levy-Bruhl, em seu livro *A mentalidade primitiva*,[1] admitia mesmo que a humanidade podia ser dividida entre aqueles que possuíam um pensamento lógico e os que estavam numa fase pré-lógica. Tal afirmação não encontrou, por parte dos pesquisadores de campo, qualquer confirmação empírica. Todo sistema cultural tem a sua própria lógica e não passa de um ato primário de etnocentrismo tentar transferir a lógica de um sistema para outro. Infelizmente, a tendência mais comum é de considerar lógico apenas o próprio sistema e atribuir aos demais um alto grau de irracionalismo.

A coerência de um hábito cultural somente pode ser analisada a partir do sistema a que pertence.

Um trabalho fundamental para a compreensão deste problema é o livro de Claude Lévi-Strauss, *O pensamento selvagem*,[2] que refuta a abordagem evolucionista de que as sociedades simples dispõem de um pensamento mágico que antecede o científico e que, portanto, lhe é inferior. "O pensamento mágico — diz Lévi-Strauss — não é um começo, um esboço, uma iniciação, a parte de um todo que não se realizou; forma um sistema bem articulado, independente deste outro sistema que constituirá a ciência, salvo a analogia formal que as aproxima e que faz do primeiro uma

88 Cultura: um conceito antropológico

expressão metafórica do segundo." Assim, ao invés de um contínuo magia, religião e ciência, temos de fato sistemas simultâneos e não sucessivos na história da humanidade.

A ciência não depende da dicotomia entre os tipos de pensamento citados acima, mas de instrumentos de observação, pois como enfatizou Lévi-Strauss: "o sábio nunca dialoga com a natureza pura, senão com um determinado estado de relação entre a natureza e a cultura, definida por um período da história em que vive, a civilização que é a sua e os meios materiais de que dispõe".

Sem estes meios materiais o homem tem que tirar conclusões a partir de sua observação direta, valendo-se apenas do instrumental sensorial de que dispõe. Assim, não é nada ilógico supor que é o Sol que gira em torno da Terra, pois é esta sua sensação. Uma conhecida nossa perguntou a um caipira paulista como é que o sol morre todos os dias no Oeste e nasce no Leste. "Ele volta apagado durante a noite", foi a resposta que obteve. Menos que um pensamento absurdo, trata-se de uma outra concepção a respeito do universo, obviamente diferente da nossa, que dispomos das informações obtidas por sofisticados observatórios astronômicos.

Sem o auxílio do microscópio é impossível imaginar a existência de germes, daí ser mais fácil admitir que as doenças são decorrentes da intromissão de seres sobrenaturais malignos. E, consequentemente, o tratamento deve ser formulado a partir de sessões xamanísticas, capazes de controlar e exorcizar essas entidades.

Em um outro artigo mostramos que o fenômeno do aparecimento da vida individual só é explicado através da mediação de equipamentos ópticos que a humanidade somente recentemente passou a possuir:

O homem sempre buscou explicações para fatos tão cruciais como a vida e a morte. Estas tentativas de explicar o início e o fim da vida humana foram sem dúvida responsáveis pelo aparecimento dos diversos sistemas filosóficos. Explicar a vida implica a compreensão dos fenômenos da concepção do nascimento. Estes são importantes para a ordem social. Da explicação que o grupo aceita para a reprodução humana resulta o sistema de parentesco, que vai regulamentar todo o comportamento social.

Nem sempre as relações de causa e efeito são percebidas da mesma maneira por homens de culturas diferentes. E hoje todos sabem que o homem só pode compreender o mistério da vida quando dispõe de instrumentos que lhe permitam desvendar o mundo do infinitamente pequeno. O homem tribal não possuía microscópios. E teve que construir a partir de suas simples observações as teorias que durante séculos e ainda hoje têm a validade das verdades científicas.

Para os habitantes das ilhas Trobriand, no Pacífico, não existe nenhuma relação entre a cópula e a concepção. Sabem, apenas, que uma jovem não deve mais ser virgem para ser penetrada por um "espírito" de sua linhagem materna, que vai gerar em seu útero uma criança. Esta criança estará ligada por laços de parentesco, apenas, aos parentes da jovem, não existindo em Trobriand nenhuma palavra correspondente à que utilizamos para definir o pai.

O homem que vive com a mulher será chamado pela criança por um termo que podemos traduzir como "companheiro da mãe".

Esta ideia de reprodução sexual não impediu que os habitantes de Trobriand notassem a semelhança física que ocorre entre a criança e o "companheiro da mãe". A explicação encontrada foi a de que a criança convive diariamente com aquele homem e dele copia os gestos, o modo de falar, as expressões faciais, dando a ilusão de uma semelhança. Além disto, deve-se considerar que o limitado estoque genético de um grupo excessivamente endogâmico não torna tão relevante a identidade física.

Por outro lado, os índios Jê, do Brasil, correlacionam a relação sexual com a concepção mas acreditam que só uma cópula é insuficiente para formar um novo ser. É necessário que o homem e a mulher tenham várias relações para que a criança seja totalmente formada e torne-se apta para o nascimento. O recém-nascido pertencerá tanto à família do pai como à da mãe. E se ocorrer que a mulher tenha, em um dado período que antecede ao nascimento, relações sexuais com outros homens, todos estes serão considerados pais da criança e agirão socialmente como tal.

Outra é a concepção dos índios Tupi, também do Brasil. Para estes, a criança depende exclusivamente do pai. Ela existe anteriormente como uma espécie de semente no interior do homem, muito tempo mesmo antes do ato sexual que a transferirá para o ventre da mulher. No interior desta, a criança se desenvolve sem estabelecer nenhuma relação consanguínea com a esposa do pai. A mulher não passa, então, de um recipiente próprio para o desenvolvimento do novo ser. E ela será sempre uma parente afim tanto de seu marido quanto de seu filho. Esta teoria permite o matrimônio entre meios-irmãos, isto é, jovens que tenham a mesma mãe e pais diferentes.[3]

As explicações encontradas pelos membros das diversas sociedades humanas, portanto, são lógicas e encontram a sua coerência dentro do próprio sistema. Nunca é demais repetir o clássico trecho de E.E. Evans-Pritchard no qual explica como a ação da feitiçaria é entendida pela filosofia Azande: "Considerada como sistema de filosofia natural, ela [a feitiçaria] implica uma teoria de causas: a infelicidade resulta da feitiçaria, que trabalha em combinação com as forças naturais. Caso um homem receba uma chifrada de um búfalo, caso lhe caia na cabeça um celeiro cujos suportes tenham sido minados pelas térmitas, ou contraia uma meningite cerebroespinhal, os Azande afirmarão que o búfalo, o celeiro ou a doença são causas que se conjugam com a feitiçaria para matar o homem. Pelo búfalo, pelo celeiro, pela doença, a feitiçaria não é responsável, pois existem por si mesmos; mas o é pela circunstância particular que os põe em relação destruidora com um certo indivíduo. O celeiro teria caído de qualquer maneira, mas foi pela feitiçaria que caiu em um dado momento e quando certo indivíduo repousava embaixo. Entre todas essas causas, apenas a feitiçaria é significativa no plano das relações sociais."[4]

Talvez seja mais fácil para o leitor entender a lógica e a coerência de um sistema cultural tratando-o como uma forma de classificação. Muito do que supomos ser uma ordem inerente da natureza não passa, na verdade, de uma ordenação que é fruto de um procedimento cultural, mas que nada tem a ver com uma ordem objetiva.

92　Cultura: um conceito antropológico

Rodney Needham, antropólogo inglês, faz uma interessante analogia, baseada em estudos sobre indivíduos cegos desde o nascimento e que ganham a visão através de uma cirurgia. A reação inicial é de uma dolorosa aflição diante de uma caótica confusão de cores e formas. Estas lhes parecem não ter nenhuma relação compreensível entre si. "Apenas vagarosamente e com um intenso esforço pode apreender que esta confusão manifesta uma ordem, e somente com uma aplicação resoluta é capaz de distinguir e classificar objetos e adquirir o significado de termos tais como 'espaço' e 'forma'. Quando um etnólogo inicia o seu estudo de um povo estranho ele está numa situação análoga, e no caso de uma sociedade desconhecida ele pode exatamente ser descrito como culturalmente cego."[5]

O que podemos deduzir da analogia formulada por Needham é que cada cultura ordenou a seu modo o mundo que a circunscreve e que esta ordenação dá um sentido cultural à aparente confusão das coisas naturais. É este procedimento que consiste em um sistema de classificação.

Retomemos o exemplo da floresta utilizado no início do primeiro capítulo da segunda parte deste trabalho. O amontoado de árvores e arbustos só pode ser ordenado quando é classificado através de uma taxionomia. Esta, contudo, não é uma propriedade da botânica ocidental, pois muitas sociedades tribais construíram sistemas de classificação bastante sofisticados para o mundo vegetal que as envolve. Assim, os índios Tewa do Novo México "têm nomes para designar todas as espécies de coníferas da região; ora, neste caso, as diferenças são pouco visíveis e, entre os brancos, um indivíduo sem treinamento seria incapaz de as distinguir ... . Realmente, nada impediria a tradução em

Tewa de um tratado de botânica". (Robbins, Harrington e Freire-Marreco, citados por Lévi-Strauss, 1976, p.25.)

Que todas as sociedades humanas dispõem de um sistema de classificação para o mundo natural parece não haver mais dúvida, mas é importante reafirmar que esses sistemas divergem entre si porque a natureza não tem meios de determinar ao homem um só tipo taxionômico. Por isso o morcego é muitas vezes colocado numa mesma categoria com as aves, da mesma forma que a baleia é vulgarmente considerada um peixe. No norte de Goiás, uma dona de pensão nos afirmou que o "rato era um inseto impertinente". Constatamos, então, que como inseto eram classificados todos os seres vivos que perturbam o mundo doméstico.

Finalmente, entender a lógica de um sistema cultural depende da compreensão das categorias constituídas pelo mesmo. Como categorias entendemos, como Mauss, "esses princípios de juízos e raciocínios ... constantemente presentes na linguagem, sem que estejam necessariamente explícitas, elas existem ordinariamente, sobretudo sob a forma de hábitos diretrizes da consciência, elas próprias inconscientes. A noção de *mana* é um desses princípios: ela está dada na linguagem; está implicada em toda uma série de juízos e raciocínios, tendo por objetos atributos que são aqueles do *mana*".[6] O leitor brasileiro entenderá melhor esta definição se trocar a palavra *mana* por panema, azar ou reima.[7]

5. A CULTURA É DINÂMICA

Num exercício de imaginação, suponhamos que um dos missionários jesuítas do século XVI, durante a sua permanência no Brasil, tenha dividido as suas observações entre o comportamento dos indígenas e os hábitos das formigas saúva. Quatro séculos depois, qualquer entomologista poderá constatar que não houve qualquer mudança nos hábitos dos referidos insetos. Durante quase meio milênio, as habitantes do formigueiro repetiram os procedimentos de suas antecessoras, obedecendo apenas às diretrizes de seus padrões genéticos. Supondo, por outro lado, numa hipótese quase absurda, que um dos grupos indígenas observados tenha sobrevivido aos quatro séculos de dizimação, graças a um isolamento em relação aos brancos, o que constataria um antropólogo moderno?

A tendência de muitos leigos seria a de responder que essas pequenas sociedades tendem a ser estáticas e que, portanto, o antropólogo confirmaria as observações do missionário. Essa tendência decorre do fato de que as chamadas sociedades simples dão realmente uma impressão de estaticidade. Por exemplo, em 1964 fotografamos um ritual xinguano e a foto foi, posteriormente, comparada a um desenho de Von den Steinen, que ali esteve 80 anos antes. Desta comparação poderíamos ser levados, tal a identidade existente entre os dois documentos, a afirmar que não ocorreu modificação naquela sociedade no último século.

Mas seria verdadeira tal dedução? A resposta é negativa. Em primeiro lugar, porque os ritos religiosos situam-se entre as partes de uma sociedade que parecem ter uma menor velocidade de mudança. Em segundo lugar, porque a foto não cobre todas as variáveis do ritual. Consideremos que, em vez do ritual xinguano, os dois documentos retratassem uma parte da missa católica. O aspecto apenas visual dos mesmos daria a falsa impressão de que não houve nenhuma mudança no ritual. E nós sabemos que estas mudanças ocorreram.

A resposta do antropólogo seria, portanto, diferente da da maioria dos leigos. O espaço de quatro séculos seria suficiente para demonstrar que a referida sociedade indígena mudou, porque os homens, ao contrário das formigas, têm a capacidade de questionar os seus próprios hábitos e modificá-los. O antropólogo concordaria, porém, que as sociedades indígenas isoladas têm um ritmo de mudança menos acelerado do que o de uma sociedade complexa, atingida por sucessivas inovações tecnológicas. Esse ritmo indígena decorre do fato de que a sociedade está satisfeita com muitas de suas respostas ao meio e que são resolvidas por suas soluções tradicionais. Mas esta satisfação é relativa; muito antes de conhecer o machado de aço, os nossos indígenas tinham a consciência da ineficácia do machado de pedra. Por isto, o nosso machado representou um grande item na atração dos índios.

No *Manifesto sobre aculturação*, resultado de um seminário realizado na Universidade de Stanford, em 1953, os autores afirmam que "qualquer sistema cultural está num

96 Cultura: um conceito antropológico

contínuo processo de modificação. Assim sendo, a mudança que é inculcada pelo contato não representa um salto de um estado estático para um dinâmico mas, antes, a passagem de uma espécie de mudança para outra. O contato, muitas vezes, estimula a mudança mais brusca, geral e rápida do que as forças internas".

Podemos agora afirmar que existem dois tipos de mudança cultural: uma que é interna, resultante da dinâmica do próprio sistema cultural, e uma segunda que é o resultado do contato de um sistema cultural com um outro.

No primeiro caso, a mudança pode ser lenta, quase imperceptível para o observador que não tenha o suporte de bons dados diacrônicos. O ritmo, porém, pode ser alterado por eventos históricos tais como uma catástrofe, uma grande inovação tecnológica ou uma dramática situação de contato.

O segundo caso, como vimos na afirmação do *Manifesto sobre aculturação*, pode ser mais rápido e brusco. No caso dos índios brasileiros, representou uma verdadeira catástrofe. Mas, também, pode ser um processo menos radical, onde a troca de padrões culturais ocorre sem grandes traumas.

Este segundo tipo de mudança, além de ser o mais estudado, é o mais atuante na maior parte das sociedades humanas. É praticamente impossível imaginar a existência de um sistema cultural que seja afetado apenas pela mudança interna. Isto somente seria possível no caso, quase absurdo, de um povo totalmente isolado dos demais. Por isto, a mudança proveniente de causas externas mereceu sempre uma grande atenção por parte dos antropólogos. Para atendê-la foi necessário o desenvolvimento de um esquema conceitual específico. Surge, então, o conceito de aculturação, utilizado desde o início do século xx pela antropologia alemã e a partir de 1928 pelos antropólogos anglo-saxões. Através destes o conceito atinge o nosso meio acadêmico, mas somente passa a ser utilizado amplamente a partir dos anos 50, depois que Eduardo Galvão apresentou o seu "Estudo de aculturação dos grupos indígenas brasileiros", na I Reunião Brasileira de Antropologia, em 1953.

Deixaremos de lado as mudanças mais espetaculares, como as decorrentes de uma revolução política — como a francesa ou soviética; as resultantes de uma inovação científica — como as consequências da invenção do avião ou da pílula anticoncepcional para, num exercício didático, discorrermos mais sobre as que agem lentamente sobre os nossos hábitos culturais. É necessário, porém, lembrar sempre que ambas pertencem a um mesmo tipo de fenômeno, vinculadas que são ao caráter dinâmico da cultura.

Comecemos pela descrição de um tipo carioca, feita por Machado de Assis, em *Dom Casmurro*: "E vimos passar com suas calças brancas engomadas, presilhas, rodaques e gravata de mola. Foi dos últimos que usaram presilhas no Rio de Janeiro, e talvez neste mundo. Trazia as calças curtas para que lhe ficassem bem esticadas. A gravata de cetim preto, com um arco de aço por dentro, imobilizava-lhe o pescoço; era então moda. O rodaque de chita, veste caseira e leve, parecia nele uma casaca de cerimônia." Não há dúvida que as vestimentas masculinas mudaram muito, nestes últimos 100 anos, na cidade do Rio de Janeiro. Muitas outras mudanças sucederam as descritas por Machado de Assis, passando pelas pesadas vestimentas de casimira preta do início do século até o modo informal de vestir dos dias de hoje.

98 Cultura: um conceito antropológico

São mudanças como essas que comprovam de uma maneira mais evidente o caráter dinâmico da cultura.

Basta que o jovem leitor converse com seus pais e compare a nossa vida quotidiana com a dos anos 50, por exemplo. Ele poderá, então, imaginar estar em plena noite, postado diante de um espelho, ajeitando o nó triangular de sua gravata, bem no centro de seu colarinho, mantido reto pela ação das hastes de barbatana. Poderá também imaginar o seu sentimento de vaidade ao reparar quão bem-passado está o seu terno de casimira azul. Enfim, estava pronto para brilhar em mais um baile. Antes, porém, de entrar no salão não dispensaria o reforço de uma dose de bebida, seguida do mastigar de um chiclete capaz de disfarçar o forte cheiro de aguardente. Com esta dose adicional de coragem, o jovem estaria apto para audaciosamente atravessar o salão e, numa discreta mesura diante da escolhida, perguntar: "a senhorita me dá o prazer desta dança?"

Tudo estaria bem com a resposta afirmativa da moça. Mas, se esta, rompendo os limites da etiqueta, não aceitava o convite, o mundo abria aos pés do jovem, que voltava murcho e cabisbaixo para o seu lugar, lamentando a "bruta tábua que levara".

Um quarto de século depois, esse pequeno drama social era perfeitamente desconhecido para muitos jovens que jamais compreenderão perfeitamente como era esse estranho ritual denominado baile.

São essas aparentemente pequenas mudanças que cavam o fosso entre as gerações, que faz com que os pais não se reconheçam nos filhos e estes se surpreendam com a "caretice" de seus progenitores, incapazes de reconhecer que a cultura está sempre mudando.

O tempo constitui um elemento importante na análise de uma cultura. Nesse mesmo quarto de século, mudaram-se os padrões de beleza. Regras morais que eram vigentes passaram a ser consideradas nulas: hoje uma jovem pode fumar em público sem que a sua reputação seja ferida. Ao contrário de sua mãe, pode ceder um beijo ao namorado em plena luz do dia. Tais fatos atestam que as mudanças de costumes são bastante comuns. Entretanto, elas não ocorrem com a tranquilidade que descrevemos. Cada mudança, por menor que seja, representa o desenlace de numerosos conflitos. Isto porque em cada momento as sociedades humanas são palco do embate entre as tendências conservadoras e as inovadoras. As primeiras pretendem manter os hábitos inalterados, muitas vezes atribuindo aos mesmos uma legitimidade de ordem sobrenatural. As segundas contestam a sua permanência e pretendem substituí-los por novos procedimentos.

Assim, uma moça pode hoje fumar tranquilamente em público, mas isto somente é possível porque antes dela numerosas jovens suportaram as zombarias, as recriminações, até que estas se esgotaram diante da nova evidência. Por isto, num mesmo momento é possível encontrar numa mesma sociedade pessoas que têm juízos diametralmente opostos sobre um novo fato.

Talvez seja mais fácil explicar a mudança raciocinando em termos de padrões ideais e padrões reais de comportamento. Nem sempre os padrões ideais podem ser efetivados. Neste caso, as pessoas agem diferentemente (esta ação constitui os padrões reais), mas consideram que os seus procedimentos não são exatamente os mais desejados pela sociedade. Tomemos, como exemplo, as regras matrimoniais dos Tupi. Os

100 Cultura: um conceito antropológico

índios Akuáwa-Asurini (do sudeste do Pará) consideram que um homem deve casar preferencialmente com a filha do irmão da mãe; ou com a filha da irmã do pai; ou ainda com a filha da irmã. Mas razões diversas, entre elas as de ordem demográfica, fazem com que nem sempre o homem encontre esposas dentro dessas categorias genealógicas. Assim, qualquer outro casamento é tolerado desde que a mulher não seja mãe, filha ou irmã do noivo. Em decorrência destas regras, os Akuáwa-Asurini classificam o casamento segundo três tipos. Ao primeiro denominam de "katu-eté" (muito bom) e é referente a todas as uniões realizadas de acordo com as regras preferenciais relacionadas acima. O segundo tipo é aquele que engloba todos os casamentos que não estão de acordo com as regras preferenciais, mas também não são proibidos, e que são denominados "katu" (bom). Do ponto de vista estatístico este é o tipo de casamento mais comum. Finalmente, o terceiro tipo, denominado "katu-i", é o referente às uniões dentro das categorias proibidas, ou seja, aquelas que levam ao rompimento da proibição do incesto.

O fato de que a maioria dos matrimônios não corresponde ao ideal somente pode ser considerado uma mudança quando as pessoas, além de agirem diferentemente, começam a colocar em dúvida a validade do modelo.

Tomemos agora um exemplo de nossa sociedade. No início dos anos 70, uma revista fez uma pesquisa sobre o comportamento sexual da mulher brasileira. O resultado indicou que existia uma porcentagem significativa que não agia de acordo com os padrões tradicionais da sociedade. Ou seja, tornavam-se mais frequentes as relações sexuais pré-matrimoniais e o número de relações extraconjugais. A publicação desses resultados — mesmo deixando de lado a validade da amostra levantada na pesquisa — causou uma grande reação por parte de diferentes setores e a revista teve a sua edição apreendida. Menos de dez anos depois, uma outra revista repetiu a pesquisa, com uma amostragem bem maior, e os resultados foram mais significativos do que os da vez anterior. Comprovavam enfaticamente uma mudança no comportamento feminino. Dessa vez, contudo, a reação não ocorreu e a revista circulou livremente. Tal fato significa, sem dúvida, a ocorrência de mudanças nos padrões ideais da sociedade de forma a ajustá-la aos eventos reais. Em outras palavras, a mudança chegou a uma tal dimensão que modificou o próprio padrão ideal.

Concluindo, cada sistema cultural está sempre em mudança. Entender esta dinâmica é importante para atenuar o choque entre as gerações e evitar comportamentos preconceituosos. Da mesma forma que é fundamental para a humanidade a compreensão das diferenças entre povos de culturas diferentes, é necessário saber entender as diferenças que ocorrem dentro do mesmo sistema. Este é o único procedimento que prepara o homem para enfrentar serenamente este constante e admirável mundo novo do porvir.

Anexo 1
UMA EXPERIÊNCIA ABSURDA

Kroeber, em seu artigo "O superorgânico", refere-se a duas experiências que teriam sido praticadas no passado. Embora o autor duvide da veracidade das mesmas, ele as utiliza como exemplo de reflexão sobre a natureza humana:

> Heródoto conta-nos que um rei egípcio, desejando verificar qual a língua-mater da humanidade, ordenou que algumas crianças fossem isoladas da sua espécie, tendo somente cabras como companheiros e para o seu sustento. Quando as crianças já crescidas foram de novo visitadas, gritaram a palavra bekos, ou, mais provavelmente bek, suprimindo o final, que o grego padronizador e sensível não podia tolerar que se omitisse. O rei mandou então emissários a todos os países a fim de saber em que terra tinha esse vocábulo alguma significação. Ele verificou que no idioma frígio isso significava pão, e, supondo que as crianças estivessem reclamando alimentos, concluiu que usavam o frígio para falar a sua linguagem humana "natural", e que essa língua devia ser, portanto, a língua original da humanidade. A crença do rei numa língua humana inerente e congênita, que só os cegos acidentes temporais tinham decomposto numa multidão de idiomas, pode parecer simples; mas,

Anexos **103**

ingênua como é, a inquirição revelaria que multidões de gente civilizada ainda a ela aderem.

Contudo, não é essa a nossa moral da história. Ela está no fato de que a única palavra, bek, atribuída às crianças, constituía apenas, se a história tem qualquer autenticidade, um reflexo ou imitação — como conjeturam há muito os comentadores de Heródoto — do grito das cabras, que foram as únicas companheiras e instrutoras das crianças. Em suma, se for permitido deduzir qualquer inferência de tão apócrifa anedota, o que ela prova é que não há nenhuma língua humana natural e, portanto, nenhuma língua humana orgânica.

Milhares de anos depois, outro soberano, o imperador mongol Akbar, repetiu a experiência com o propósito de averiguar qual a religião natural da humanidade. O seu bando de crianças foi encerrado numa casa. Quando decorrido o tempo necessário, ao se abrirem as portas na presença do imperador expectante e esclarecido, foi grande o seu desapontamento: as crianças saíram tão silenciosas como se fossem surdas-mudas. Contudo, a fé custa a morrer; e podemos suspeitar que será preciso uma terceira experiência, em condições modernas escolhidas e controladas, para satisfazer alguns cientistas naturais e convencê-los de que a linguagem, para o indivíduo humano como para a raça humana, é uma coisa inteiramente adquirida e não hereditária, completamente externa e não interna — um produto social e não um crescimento orgânico.[1]

É óbvio que quando Kroeber fala em linguagem está implícita a possibilidade de estender o seu raciocínio para

104 Cultura: um conceito antropológico

toda a cultura. Muitos anos depois de Kroeber, Clifford Geertz demonstrou não ser possível, à luz do conhecimento atual, esperar algum resultado de uma terceira experiência:

> ... isso sugere não existir o que chamamos de natureza humana independente da cultura. Os homens sem cultura não seriam os selvagens inteligentes de *O senhor das moscas*, de Golding, atirados à sabedoria cruel dos seus instintos animais; nem seriam eles os bons selvagens do primitivismo iluminista, ou até mesmo, como a antropologia insinua, os macacos intrinsecamente talentosos que, por algum motivo, deixaram de se encontrar. Eles seriam monstruosidades incontroláveis, com muito poucos instintos úteis, menos sentimentos reconhecíveis e nenhum intelecto: verdadeiros casos psiquiátricos. Como nosso sistema nervoso central — e principalmente a maldição e glória que o coroam, o neocórtex — cresceu, em sua maior parte, em interação com a cultura, ele é incapaz de dirigir nosso comportamento ou organizar nossa experiência sem a orientação fornecida por sistemas de símbolos significantes.[2]

Anexo 2
A DIFUSÃO DA CULTURA

Não resta dúvida que grande parte dos padrões culturais de um dado sistema não foram criados por um processo autóctone, foram copiados de outros sistemas culturais. A esses empréstimos culturais a antropologia denomina difusão. Os antropólogos estão convencidos de que, sem a difusão, não seria possível o grande desenvolvimento atual da humanidade. Nas primeiras décadas do século XX, duas escolas antropológicas (uma inglesa, outra alemã), denominadas difusionistas, tentaram analisar esse processo. O erro de ambas foi o de superestimar a importância da difusão, mais flagrante no caso do difusionismo inglês, que advogava a tese de que todo o processo de difusão originou-se no velho Egito.

Mas deixando de lado o exagero difusionista, e mesmo considerando a importância das invenções simultâneas (isto é, invenções de um mesmo objeto que ocorreram inúmeras vezes em povos de culturas diferentes situados nas diversas regiões do globo), não poderíamos ignorar o papel da difusão cultural.

Numa época em que os norte-americanos viviam um grande desenvolvimento material e os seus sentimentos nacionalistas faziam crer que grande parte desse progresso era resultado de um esforço autóctone, o antropólogo Ralph

106 Cultura: um conceito antropológico

Linton escreveu um admirável texto sobre o começo do dia do homem americano:

> O cidadão norte-americano desperta num leito construído segundo padrão originário do Oriente Próximo, mas modificado na Europa Setentrional, antes de ser transmitido à América. Sai debaixo de cobertas feitas de algodão, cuja planta se tornou doméstica na Índia; ou de linho ou de lã de carneiro, um e outro domesticados no Oriente Próximo; ou de seda, cujo emprego foi descoberto na China. Todos estes materiais foram fiados e tecidos por processos inventados no Oriente Próximo. Ao levantar da cama faz uso dos "mocassins" que foram inventados pelos índios das florestas do Leste dos Estados Unidos e entra no quarto de banho, cujos aparelhos são uma mistura de invenções europeias e norte-americanas, umas e outras recentes. Tira o pijama, que é vestiário inventado na Índia e lava-se com sabão que foi inventado pelos antigos gauleses, faz a barba que é um rito masoquístico que parece provir dos sumerianos ou do antigo Egito.
>
> Voltando ao quarto, o cidadão toma as roupas que estão sobre uma cadeira do tipo europeu meridional e veste-se. As peças de seu vestuário têm a forma das vestes de pele originais dos nômades das estepes asiáticas; seus sapatos são feitos de peles curtidas por um processo inventado no antigo Egito e cortadas segundo um padrão proveniente das civilizações clássicas do Mediterrâneo; a tira de pano de cores vivas que amarra ao pescoço é sobrevivência dos xales usados aos ombros pelos croatas do século XVII. Antes de ir tomar

o seu breakfast, ele olha a rua através da vidraça feita de vidro inventado no Egito; e, se estiver chovendo, calça galochas de borracha descoberta pelos índios da América Central e toma um guarda-chuva inventado no sudoeste da Ásia. Seu chapéu é feito de feltro, material inventado nas estepes asiáticas.

De caminho para o *breakfast*, para para comprar um jornal, pagando-o com moedas, invenção da Líbia antiga. No restaurante, toda uma série de elementos tomados de empréstimo o espera. O prato é feito de uma espécie de cerâmica inventada na China. A faca é de aço, liga feita pela primeira vez na Índia do Sul; o garfo é inventado na Itália medieval; a colher vem de um original romano. Começa o seu *breakfast* com uma laranja vinda do Mediterrâneo Oriental, melão da Pérsia, ou talvez uma fatia de melancia africana. Toma café, planta abissínia, com nata e açúcar. A domesticação do gado bovino e a ideia de aproveitar o seu leite são originárias do Oriente Próximo, ao passo que o açúcar foi feito pela primeira vez na Índia. Depois das frutas e do café vêm *waffles*, os quais são bolinhos fabricados segundo uma técnica escandinava, empregando como matéria-prima o trigo, que se tornou planta doméstica na Ásia Menor. Rega-se com xarope de *maple*, inventado pelos índios das florestas do Leste dos Estados Unidos. Como prato adicional talvez coma o ovo de uma espécie de ave domesticada na Indochina ou delgadas fatias de carne de um animal domesticado na Ásia Oriental, salgada e defumada por um processo desenvolvido no Norte da Europa.

108   Cultura: um conceito antropológico

Acabando de comer, nosso amigo se recosta para fumar, hábito implantado pelos índios americanos e que consome uma planta originária do Brasil; fuma cachimbo, que procede dos índios da Virgínia, ou cigarro, proveniente do México. Se for fumante valente, pode ser que fume mesmo um charuto, transmitido à América do Norte pelas Antilhas, por intermédio da Espanha. Enquanto fuma, lê notícias do dia, impressas em caracteres inventados pelos antigos semitas, em material inventado na China e por um processo inventado na Alemanha. Ao inteirar-se das narrativas dos problemas estrangeiros, se for bom cidadão conservador, agradecerá a uma divindade hebraica, numa língua indo-europeia, o fato de ser cem por cento americano.[1]

BIBLIOGRAFIA

ANCHIETA, JOSÉ
1947 "Informações de casamentos dos índios do Brasil". *Sociologia*, 9 (4): 379-83, São Paulo.

BEALS, ALAN
1971 *Antropologia cultural*. México/Buenos Aires, Centro Regional de Ayuda Técnica.

BENEDICT, RUTH
1972 *O crisântemo e a espada*. São Paulo, Perspectiva.

BENEDICTIS, TINA DE
1973 "The Behavior of Young Primats During Adult Copulation: Observations of a Macaca irus Colony". *American Anthropologist*, vol.75, n.5.

BOAS, FRANZ
1896 "The Limitation of Comparative Method of Anthropology". *Science, N.S.*, vol.4.

CARDOSO DE OLIVEIRA, ROBERTO
1979 *Mauss*. São Paulo, Ática.

EVANS-PRITCHARD, E.E.
1955 "Witchcraft". *África*, vol.8, n.4, Londres.

GEERTZ, CLIFFORD
1966 "A transição para a humanidade", in Sol Tax (org.), *Panorama da antropologia*. Rio de Janeiro, Fundo de Cultura.

1978 *Interpretação das culturas*. Rio de Janeiro, Zahar.

HARRIS, MARVIN
1969 *The Rise of Anthropological Theories*. Londres, Routledge & Kegan Paul.

110   Cultura: um conceito antropológico

KEESING, FELIX
1961 *Antropologia cultural*, Rio de Janeiro, Fundo de Cultura.

KEESING, ROGER
1971 *New Perspectives in Cultural Anthropology*. Nova York, Holt, Rinehart and Winston, Inc.

1974 "Theories of Culture". *Annual Review of Anthropology*, vol.3. Palo Alto, Califórnia.

KROEBER, ALFRED
1949 "O superorgânico", in Donald Pierson (org.), *Estudos de organização social*, São Paulo, Livraria Martins Editora.

1950 "Anthropology". *Scientific American*, vol.83.

LARAIA, ROQUE DE BARROS
1976 "Concepções de vida e morte entre os povos primitivos". *Jornal de Pediatria*, vol.37, fascículo 5/6, Rio de Janeiro.

LEACKEY, RICHARD E LEWIN, ROGER
1981 *Origens*. Cia. Melhoramentos/Editora Universidade de Brasília.

LEVI JR., MARION
1952 *The Structure of Society*. Princeton, Nova Jersey, Princeton University Press.

LÉVI-STRAUSS, CLAUDE
1976 *O pensamento selvagem*, São Paulo, Cia. Editora Nacional.

LEVY-BRUHL, LUCIAN
1925 *La mentalité primitive*. Paris, F. Alcan.

LINTON, RALPH
1959 *O homem: Uma introdução à antropologia*. 3ª ed., São Paulo, Livraria Martins Editora.

LOCKE, JOHN
1978 *Ensaio acerca do entendimento humano*. Coleção "Os Pensadores", São Paulo, Abril Cultural.

LOWIE, ROBERT
1937 *The History of Ethnological Theory*. Nova York, Farrar and Rinehart.

Bibliografia **111**

MAUSS, MARCEL

1969 *Oeuvres.* vol.1, Paris, Les Editions de Minuit.

1974 "Noção de técnica corporal", in *Sociologia e antropologia.* São Paulo, EPU/EDUSP.

MEGGERS, BETTI

1977 *Amazônia, a ilusão de um paraíso.* Rio de Janeiro, Civilização Brasileira.

MERCIER, PAUL

1974 *História da antropologia.* Rio de Janeiro, Eldorado.

MONTAIGNE

1972 *Ensaios.* Coleção "Os Pensadores". São Paulo, Abril Cultural.

MURPHY, ROBERT

1961 "Derivance and Social Control". *Kroeber Anthropological Society Papers*, vol.24.

NEEDHAM, RODNEY

1963 "Introduction", in Emile Durkheim e Marcel Mauss, *Primitive Classification.* Londres, Cohen & West.

OAKLEY, KENNETH

1954 "Skill as a Human Possession", in *History of Technology* Oxford, Inglaterra, Oxford University Press.

PELTO, PERTTI

1967 *Iniciação ao estudo da antropologia.* Rio de Janeiro, Zahar.

PILBEAM, DAVID

1973 *A evolução do homem.* Lisboa, Verbo.

RIBEIRO, DARCY

1970 *Os índios e a civilização.* Rio de Janeiro, Civilização Brasileira.

SAHLINS, MARSHALL

[s.d.] "A cultura e o meio ambiente: O estudo da ecologia cultural", in Sol Tax (org.), *Panorama da antropologia.* Rio de Janeiro, Fundo de Cultura.

1979 *Cultura e razão prática.* Rio de Janeiro, Zahar.

112 Cultura: um conceito antropológico

SCHNEIDER, DAVID
1968 *American Kinship: A Cultural Account*. Nova Jersey, Prentice Hall.

STOCKINC JR., GEORGE W.
1968 Race, Culture and Evolution. Nova York, Free Press.

TYLOR, EDWARD
1871 *Primitive Culture*. Londres, John Mursay & Co. [1958, Nova York, Harper Torchbooks.]

VELHO, GILBERTO E VIVEIROS DE CASTRO, EDUARDO
1980 "O conceito de cultura e o estudo das sociedades complexas". *Cadernos de Cultura*. USU (Universidade Santa Úrsula), ano 2, n.2, Rio de Janeiro.

WAGLEY, CHARLES E GALVÃO, EDUARDO
1961 *Os índios Tenetehara*. Rio de Janeiro, Ministério da Educação e Cultura.

WHITE, LESLIE
1955 "The Symbol: The Origin and Basis of Humans Behavior", in Morbel, Lennings e Smith (orgs.), *Readings of Antropology*. Nova York, McGraw-Hill Book Co. [Ed. bras. in Fernando Henrique Cardoso e Otávio Ianni, *Homem e sociedade*. São Paulo, Cia. Editora Nacional, 5ª ed., 1970.]

NOTAS

PRIMEIRA PARTE —
DA NATUREZA DA CULTURA OU DA NATUREZA À CULTURA

1. Cliford Geertz, 1978, p.33.
2. Pertti Pelto, 1967, p.22.
3. Chamamos de sociedade patrilineal aquela em que o parentesco é considerado apenas pelo lado paterno. Isto é, o irmão do pai, por exemplo, é um parente, o mesmo não ocorrendo com o irmão da mãe.
4. Pertti Pelto, 1967, p.23.
5. Idem, ibidem, p.24.
6. José de Anchieta, 1947.
7. Montaigne, 1972, p.107.
8. Citado por Marvin Harris, 1969, p.41.
9. Idem, ibidem, p.42.
10. Idem, ibidem, p.42.

2. O determinismo geográfico

1. Cf. Felix Keesing, 1961, p.184-5.
2. Idem, ibidem, p.183.
3. Marshall Sahlins, s.d., p.100-1.

3. Antecedentes históricos do conceito de cultura

1. Edward Tylor, 1871, cap.1, p.1.
2. Marvin Harris, 1969.
3. Os pongídeos afastaram-se da linha evolutiva do homem há cerca de 25 milhões de anos.

114   Cultura: um conceito antropológico

4. Alfred Kroeber, 1949, p.231-81.

4. O desenvolvimento do conceito de cultura

1. Edward Tylor, 1871 [1958, parte I, p.1]
2. Idem, ibidem.
3. Idem, ibidem, p.2.
4. Idem, ibidem, p.3.
5. Paul Mercier, 1974, p.30.
6. Segundo esta abordagem, todas as culturas deveriam passar pelas mesmas etapas de evolução, o que tornava possível situar cada sociedade humana dentro de uma escala que ia da menos à mais desenvolvida.
7. Matriarcado refere-se a uma sociedade em que o poder esteja nas mãos das mulheres. Não há comprovação empírica da existência de tal sociedade. É comum, entretanto, confundir este conceito com o matrilineal, que se refere às sociedades onde o parentesco é traçado pela linha materna.
8. Franz Boas, 1896, vol.4.
9. Para os evolucionistas do século XIX a evolução desenvolvia-se através de uma linha única; a evolução teria raízes em uma unidade psíquica através da qual todos os grupos humanos teriam o mesmo potencial de desenvolvimento, embora alguns estivessem mais adiantados que outros. Esta abordagem unilinear considerava que cada sociedade seguiria o seu curso histórico através de três estágios: selvageria, barbarismo e civilização. Em oposição a essa teoria, e a partir de Franz Boas, surgiu a ideia de que cada grupo humano desenvolve-se através de caminho próprio, que não pode ser simplificado na estrutura tríplice dos estágios. Esta possibilidade de desenvolvimento múltiplo constitui o objeto da abordagem multilinear.
10. Ver nota 4 do capítulo 3.
11. Alfred Kroeber, 1949, p.232-3.
12. Idem, ibidem, p.234.
13. Idem, ibidem, p.233.
14. Idem, ibidem, p.236.

15. Apenas o cão pode ser encontrado em todas as regiões da Terra, mas tal difusão deve-se à ação humana.
16. Alfred Kroeber, 1949, p.238.
17. Idem, ibidem, p.234.
18. Alguns autores, utilizando-se da sociobiologia, advogam a ideia de que a capacidade empresarial é transmitida geneticamente, visando com isso a legitimação de uma desigualdade social.
19. Alfred Kroeber, 1949, p.264.
20. Em todos os grupos humanos, independentemente de seu desenvolvimento, podem-se encontrar indivíduos mais ou menos privilegiados intelectualmente.
21. Tina de Benedictis demonstra que tal fato se repete entre uma espécie de macacos, incapazes de agir sexualmente quando, isolados dos adultos, não tiveram oportunidade de observar a cópula. Cf. Benedictis, 1973.

5. Ideia sobre a origem da cultura

1. Richard Leackey e Roger Lewin, 1981.
2. David Pilbeam, 1973.
3. Idem, ibidem, p.95.
4. Kenneth Oakley, 1954.
5. Leslie White, 1955. [Ed. bras., p.180.]
6. Clifford Geertz, 1966.
7. Idem, ibidem, p.36.

6. Teorias modernas sobre cultura

1. Roger Keesing, 1974.
2. Chamamos de sistemas de classificação de *folk* àqueles que são desenvolvidos pelos próprios membros da comunidade. Um exemplo disso entre nós é a classificação popular de alimentos fortes e fracos.
3. David Schneider, 1968.
4. Como dissemos, não pretendemos esgotar o tema. A nossa intenção é a de introduzir o leitor no mesmo, devendo de acordo

116 Cultura: um conceito antropológico

com o seu interesse complementar este texto com as leituras indicadas. Entretanto, torna-se necessário enfatizar que consideramos válida a abordagem de Marshall Sahlins (*Cultura e razão prática*, Zahar), uma crítica da ideia de que as culturas humanas são formuladas a partir da atividade prática e, mais fundamentalmente, a partir do interesse utilitário. Para Sahlins o homem vive num mundo material, mas de acordo com um esquema significativo criado por ele próprio. Assim, a cultura define a vida não através das pressões de ordem material, mas de acordo com um sistema simbólico definido, que nunca é o único possível. A cultura, portanto, é que constitui a utilidade.

SEGUNDA PARTE — COMO OPERA A CULTURA

1. A cultura condiciona a visão de mundo do homem

1. Ruth Benedict, 1972.
2. Marcel Mauss, 1974, vol.II.
3. Roger Keesing, 1971.

2. A cultura interfere no plano biológico

1. A este respeito conferir Darcy Ribeiro, 1970.
2 Charles Wagley e Eduardo Galvão, 1961, p.117-8.

3. Os indivíduos participam diferentemente de sua cultura

1. Marion Levy Jr., 1952, p.190.
2. Idem, ibidem, p.169.
3. Robert Murphy, 1961, p.60.
4. Alan Beals, 1971, p.248-50.

4. A cultura tem uma lógica própria

1. Lucian Levy-Bruhl, 1925, 10ª ed.
2. Claude Lévi-Strauss, 1976, 2ª ed.
3. Roque de Barros Laraia, 1976.

4. E.E. Evans-Pritchard, 1955, p.418-9.
5. Rodney Needham, 1963, p.VII.
6. Marcel Mauss, 1969, p.28-9.
7. Roberto Cardoso de Oliveira (1979), em sua "Introdução", discute o conceito de categorias.

Anexo 1 – Uma experiência absurda

1. Alfred Kroeber, 1949, p.244-5.
2. Clifford Geertz, 1978, p.61.

Anexo 2 – A difusão da cultura

1. Ralph Linton, 3ª ed., 1959, p.355-6.

1ª EDIÇÃO [1986] 34 reimpressões

ESTA OBRA FOI COMPOSTA POR CAROLINA SOUZA EM BERKELEY E
IMPRESSA EM OFSETE PELA GRÁFICA BARTIRA SOBRE PAPEL ALTA ALVURA
DA SUZANO S.A. PARA A EDITORA SCHWARCZ EM MAIO DE 2024

A marca FSC® é a garantia de que a madeira utilizada na fabricação do papel deste livro provém de florestas que foram gerenciadas de maneira ambientalmente correta, socialmente justa e economicamente viável, além de outras fontes de origem controlada.